Las grietas de Jara

ALFAGUARA

Claudia Piñeiro
Las grietas de Jara

ALFAGUARA

© Claudia Piñeiro, 2009
© De esta edición:
   D. R. © Santillana Ediciones Generales, S.A. de C.V., 2010
   Av. Universidad 767, Col. del Valle
   México, 03100, D.F. Teléfono 5420 7530
   www.alfaguara.com.mx

Primera edición: diciembre de 2010

ISBN: 978-607-11-0803-6

Diseño:
Proyecto de Enric Satué

Diseño de tapa:
Raquel Cané

Impreso en México

A Sivori, que como Pablo Simó recorre esta ciudad preguntándose acerca del amor.

—(…) *Escucha. Supongamos que no fuera una grieta que hay en ti… supongamos fuera una grieta del Gran Cañón.*
—*¡La grieta está en mí!* —*dije yo heroicamente.*

F.S. FITZGERALD, *El Crack-Up*

1

Pablo Simó dibuja en su tablero el perfil de un edificio que nunca existirá. Como condenado a soñar el mismo sueño cada noche, desde hace años repite ese boceto: el de una torre de once pisos que mira al Norte. Guarda en una carpeta la serie de dibujos idénticos, no sabe cuántos son, perdió la cuenta hace tiempo; más de cien, menos de mil. No los numera pero los firma, arquitecto Pablo Simó, y les pone fecha. Para saber qué día dibujó el primer boceto debería buscarlo y fijarse al pie, pero no lo hace; el último lleva la fecha de ese día: 15 de marzo de 2007. Se promete contarlos alguna vez; dibujos de la misma torre, sobre el mismo terreno, la misma cantidad de ventanas y balcones a la misma distancia exacta, siempre el mismo frente, el mismo jardín delante y alrededor del edificio, con los mismos árboles, uno a cada lado de la puerta de entrada. Pablo sospecha que si contara uno por uno los ladrillos que dibuja a mano alzada sobre la fachada se encontraría en cada boceto con idéntica cantidad. Por eso no los cuenta, porque le da miedo que sea así y comprobar que el dibujo no lo repite él sino que le es inevitable.

Su lápiz Caran d'Ache tres milímetros sube y baja por el papel, sombrea, retoca, mientras Simó se miente, una vez más, que levantará esa torre algún día, cuando por fin se decida a abandonar el estudio Arquitecto Borla y Asociados. Pero hoy no es un día para tomar decisiones, y con ese argumento Pablo intenta no pensar que ya tiene cuarenta y cinco años, que la torre cada vez está más lejos de ser otra cosa que trazos en grafito sobre una hoja de papel blanco y que a dos metros de él Marta Horvat cruza las piernas con descuido como si nadie estuviera allí, sentado frente a ella.

Aunque Pablo Simó está pendiente de Marta, ya no piensa en ella como lo hacía antes. No es que no quiera, pero de un tiempo a esta parte —y hace un esfuerzo por no recordar con exactitud cuánto es ese tiempo— no puede pensar en ella sin que el placer que le producía imaginarla suya se interrumpa con brusquedad o hasta con violencia. Antes sí. Antes pensaba en Marta todo el día y en ese pensamiento era dueño de ella, la desnudaba, la besaba, la tocaba, y como no encontraba ningún motivo para imaginar que un día se separaría de Laura, Pablo Simó jugaba a que si su mujer muriera, como todos moriremos algún día, Marta Horvat dejaría de ser sólo aquella otra mujer que él desnuda en sus fantasías e intentaría conquistarla.

Marta está sentada a dos metros del tablero donde Pablo dibuja con una habilidad que le sienta tan natural como caminar, hablar o respirar. Ella discute por teléfono y a los gritos con un contratista. Se queja de que el hombre no haya terminado la losa a tiempo, dice que no le importa la lluvia, ni los dos feriados que hubo en el mes y mucho menos el paro de transportistas; declara con la firmeza que Pablo tanto le conoce: que a ella le gusta que le cumplan. Y cuelga. Pablo no sabe qué pasa del otro lado del teléfono pero adivina que el contratista se queda con la palabra en la boca, porque ni bien ella terminó de desahogar su enojo cortó sin esperar respuesta. Aunque no levanta la vista de su trazo, Pablo sabe que Marta se para y camina de un lado a otro de la oficina, la oye dar cada paso, la oye encender un cigarrillo, la oye tirar el encendedor adentro de la cartera, y la cartera sobre el sillón, la oye caminar otra vez y por fin acercarse. Pablo tapa su dibujo con otros papeles; no quiere que Marta vea lo que hace, no es que ella no lo haya descubierto otras veces dibujando la torre de once pisos que mira al Norte, pero quiere ahorrarse su comentario acerca de él y sus inútiles obsesiones. Aunque Marta Horvat no usaría nunca esas palabras, no diría "inútiles obsesiones", ella simplemente lo diría así: No te da el FOT, Pablo. Y a pesar de que Pablo Simó no necesita que nadie le explique qué significa FOT, ella lo hizo muchas veces en todos estos años; lo hizo cada vez que lo sorprendió dibujando su torre, como si creyera que, en el fondo, Pablo no pudiera terminar de entender que es necesario aprovechar al máximo esa relación entre los metros cuadrados de un terreno y los pisos que se pueden construir sobre él, y que, por lo tanto, nunca nadie levantará un edificio como el que él proyecta en ningún terreno de Buenos Aires con los metros cuadrados suficientes para subir en altura más que sus caprichosos once pisos. Siempre que Marta opinó sobre su boceto, la dejó hablar sin contradecirla, pero Pablo Simó bien podría haber desarmado su argumentación con sólo aclararle un error: él no quiere levantar su edificio en Buenos Aires. No es ésa la ciudad donde sueña hacer el primer proyecto auténticamente suyo. Y Pablo sabe por qué, porque conoce esta ciudad más de lo que quisiera, porque no hay una calle que no haya recorrido buscando un terreno para Arquitecto Borla y Asociados, y entonces, de tanto recorrerla, sabe que en Buenos Aires antes de poner un solo ladrillo hay que elegir primero un edificio y condenarlo a desaparecer: un estacionamiento, una escuela, una casa familiar, un cine, un depósito, un gimnasio, no importa qué mientras el ancho y la superficie del terreno permitan construir en altura. Pablo Simó no quiere que su torre se eleve sobre los escombros de otra cosa. Y eso ya no es posible en Buenos Aires. Por esa razón, cuando por fin llegue el día, él elegirá otra ciudad, eso es lo que Marta ni siquiera sospecha. Pablo no sabe todavía cuál —tal vez una ciudad que él aún no conoce—, pero lo que sí sabe es que será aquella en la que un edificio que mire al Norte reciba el sol de la mañana y se levante sobre un terreno donde no haya que llorar a nadie.

Marta Horvat se para detrás de él. Arriba de la pila de papeles con los que Pablo tapó su boceto queda el aviso que tiene que controlar antes de devolverlo a la agencia de publicidad. En pocos días empiezan a vender otro edificio llave en mano desde el pozo y el anuncio debe estar publicado en el diario de ese fin de semana. "El paraíso existe", titularon el aviso, con tipografía destacada, más grande y en colores, lo que lo diferencia del resto del texto excepto del pie de página, donde con la misma letra color borravino dice: "Arquitecto Borla y Asociados". Marta lo lee por encima de su hombro. Le indica que tache la palabra "lavadero" y que escriba "*laundry*". Pablo no se decide y ella insiste, le recuerda que el modelo de aviso que usó la agencia debe haber sido el del último edificio, el de avenida La Plata, y que en Boedo puede haber "lavadero", pero en Palermo no. Pablo se deja convencer y escribe "*laundry*" sobre el "lavadero" tachado. Marta, como si esa pequeña indicación hubiera marcado el territorio de cada quien, vuelve a su escritorio y da el día por terminado.

Sin embargo el día aún no termina. Como el arquitecto Borla tampoco sabe que el día aún no termina, ahora sale de su oficina cargando el portafolio y un paraguas que debe haber olvidado en algún otro momento, ya que esa mañana el cielo amaneció azul sobre Buenos Aires y así siguió hasta bien entrada la tarde. Borla se acerca al escritorio de Marta y le hace unas preguntas de rutina mientras desde su posición husmea dentro de su escote. Ella se sonríe y contesta, él baja la voz y Pablo ya no llega a oír de qué hablan pero se da cuenta de que nada queda del malhumor con que Marta Horvat le gritaba al contratista. Las manos de Marta se mueven en el aire acompañando cada una de sus palabras. Pablo, desde su tablero, sigue ese movimiento hipnotizado por las uñas rojas: ve bailar sus manos en el aire, las ve ir y venir describiendo círculos, suspenderse un instante como si planearan y, por fin, ocultar su cara que desaparece detrás de ellas mientras Marta se ríe a carcajadas. Borla, otra vez, se acerca a decirle al oído algo breve, alguna palabra que no le lleva más tiempo que el de la propia inclinación de su cuerpo sobre el hombro de esa mujer, para luego apartarse y contemplarla. Y los dos se ríen juntos.

Todo indica que en unos minutos más sólo quedará Pablo en esa oficina, y que como cada tarde acomodará su tablero y su escritorio, se tocará el bolsillo superior para confirmar que la cinta métrica esté donde tiene que estar, guardará su libreta de hojas lisas en el bolsillo interno del saco, enganchará entre el segundo y el tercer botón de su camisa el lápiz Caran d'Ache, con la punta hacia adentro por debajo de la tela, y por fin él también, cuando todos lo hayan hecho, se irá. Sin embargo, a veces la cosas no salen como uno se las imagina, y esa tarde en la que Pablo Simó dibujó una vez más la torre de once pisos que nunca construirá, en el preciso momento en que Borla le está diciendo a Marta: ¿Te acerco a algún lado?, llaman a la puerta, él abre, y entra una mujer joven, de zapatillas negras, jean y remera blanca, una mujer que carga una mochila más grande que la que llevaría alguien que va de paso, una mujer que Pablo calcula no debe tener mucho más de veinticinco años, y sin presentarse ni saludar dice:

—¿Alguno de ustedes sabe algo de Nelson Jara?

Y en ese momento, tal como Pablo siempre temió que algún día iba a suceder, se detiene el mundo una fracción de segundo para de inmediato empezar a girar a toda velocidad en sentido contrario. Los tres, mudos, sin contestarle a la mujer, sin siquiera mirarse entre ellos, se dejan transportar en el tiempo hacia la noche, tres años atrás, a la que se habían juramentado no volver.

—Perdón, pero estoy buscando a Nelson Jara...
—insiste la chica.

Es el arquitecto Borla el primero en salir del ensimismamiento y preguntar:

—¿A quién?

—Nelson Jara —repite ella.

—No me suena —dice Borla. Y le pregunta a él—: ¿A vos te suena, Pablo?, ¿te acordás de algún Nelson Jara?

Borla se queda esperando la respuesta que supone pactada pero que Pablo Simó no dará: No, no me acuerdo. Pablo no responde eso ni ninguna otra cosa, calla, hasta ahí puede seguir a Borla, hasta donde lo lleva su silencio, pero por más que el otro lo mire con la cara que lo está mirando él no puede decir una sola palabra. Cómo negar lo que Pablo sabe, y que sabe que Marta sabe, y que sabe que Borla sabe: que Nelson Jara está muerto, enterrado unos metros más abajo de las baldosas de alto tránsito sobre las que caminan ellos tres cada día al entrar o salir de esa oficina, bajo la losa del piso de las cocheras, exactamente donde lo enterraron aquella noche, tres años atrás.

2

A Borla le toma menos de cinco minutos deshacerse de la chica. Le dice que el nombre, ¿Nelson Jara?, a lo mejor sí le suena, porque quizás alguna vez le hayan vendido un departamento o porque lo hayan contratado para algún trabajo, que si es importante puede mirar en los archivos, pero que en cuanto a la pregunta concreta de si sabe algo más de ese señor, la respuesta es no. Borla habla como si estuviera diciendo la verdad, hasta Pablo podría creerle si no supiera que miente. Pero la situación no parece ser tan sencilla para Marta, que se hace sonar los dedos de las manos provocando un ruido seco a hueso roto —como si al apretarlos los fracturara— tal como Pablo la oyó hacer sin parar aquella noche, y ese sonido, o el recuerdo de ese sonido, aumenta el malestar que él siente. Hasta que Borla dice, tuteando por primera vez a esa chica que irrumpió en el final de la tarde:

—Ahora, disculpame la pregunta, ¿no?, pero ¿vos quién sos?

Y entonces es ella la que se pone incómoda y contesta lo que le parece, intentando en vano no dejar lugar para una nueva pregunta:

—Necesito encontrarlo para terminar un trámite, eso, nada más.

—Debe ser un trámite importante —le dice Borla.

—Para mí sí.

—¿Y qué tipo de trámite?

—Un trámite personal —responde ella y por el tono de su voz es evidente que no va a hablar más del tema.

"Un trámite personal", acaba de escuchar Pablo, que levanta la vista y, aunque la chica disimula, aunque mira a Borla con la cabeza en alto y directo a los ojos, Pablo puede ver en la vacilación de alguno de sus gestos que ella no vino preparada para responder al cuestionario al que Borla intenta someterla. Ellos sí se prepararon en estos tres años: pensaron de antemano qué responderían a cada una de las preguntas posibles, pusieron a prueba sus respuestas, practicaron delante de un espejo, pactaron entre ellos —Marta, Borla y Simó— qué dirían y qué no.

El arquitecto Borla logra su objetivo y pronto se hace evidente que ahora la chica es la observada.

—Un trámite personal —repite ella, al mismo tiempo que levanta su mochila del piso, se la carga al hombro y concluye—: Pero si Jara no aparece, tampoco podrá ayudarme con eso, así que gracias de todos modos. —Y sin dar explicaciones, abre la puerta y se va.

Por unos instantes Borla, Marta Horvat y Pablo Simó permanecen en la misma posición en la que estaban cuando la chica desapareció detrás de la puerta, y nunca sabrán cuánto tiempo más podrían haber permanecido así porque suena el teléfono y los tres se sobresaltan. Pablo atiende, es Laura que sin darle espacio para decir nada le pide que llegue temprano a casa. Luego su mujer hace una pausa y él escucha del otro lado de la línea un suspiro ahogado, como si ella se controlara para no llorar. Y un instante después Laura vuelve a repetir:

—¿Podés venir temprano, Pablo?

—Siempre llego temprano, Laura, ¿qué pasa?, ¿por qué no me decís?

—Cuando llegues te cuento.

—¿Otra vez problemas con Francisca? —sospecha él.

—Cuando llegues, te dije.

Laura corta. Pablo mira un instante el tubo y luego corta también. Está a punto de darle explicaciones a Borla y a Marta cuando se da cuenta de que ellos no prestaron la más mínima atención a su conversación y que no sólo no les importa quién llamó ni qué le sucede sino que además les molestaría cualquier comentario que no estuviera relacionado con la chica que acaba de irse y lo que su inesperada presencia en esa oficina significa o pueda significar para ellos.

—¿Qué vamos a hacer, Mario? —le pregunta Marta a Borla.

—Nada —le responde él, con una seguridad que Pablo no termina de concluir si es real o fingida—. No le demos más trascendencia de la que tiene, esa chica vino a buscar a Jara, Jara no está, entonces nosotros tranquilos, éstas son cosas normales que pueden pasar. Lo sabíamos, siempre lo supimos. Demasiada suerte tuvimos en tres años de que nadie viniera a preguntar por él, ¿no es cierto, Pablo?

Pero Pablo Simó no responde, ni siquiera se da cuenta de que Borla le habla a él, porque de las manos de Marta pasó a las suyas y ahora está ocupado mirándoselas, aunque no para hacerlas crujir como hasta hace un momento hacía ella. Pablo sólo las observa, las gira palmas arriba y palmas abajo en el aire, las abre y las cierra, y mientras lo hace recuerda cuánto se embarraron aquella noche, la tierra metida debajo de las uñas, y sobre todo el dolor, un dolor que tardó mucho tiempo en irse y que regresa los días de humedad a hablarle de lo que nunca pudo olvidar. Marta, aunque todavía tiembla, como si estuviera participando en un juego de cartas y Pablo hubiera dicho "paso", lo saltea y contesta por él:

—Yo sí estoy preocupada… ¿Por qué vino esta chica a buscar a Jara precisamente acá?, ¿por qué se le ocurrió que nosotros podíamos saber algo?

—No debe haber venido sólo acá, Marta —le contesta Borla—. Debe haber preguntado por todo el barrio, seguro que ya preguntó en el café, en la carnicería, al portero de su edificio. —Y para terminar de calmarla intenta una metáfora—: Marta, no demos por el pito más de lo que el pito vale.

Con los ojos abiertos más de lo normal, Borla se queda esperando el efecto de su máxima. Ni Marta ni Pablo dicen nada, entonces él sigue:

—Yo no creo que esta chica vuelva a aparecer preguntando por Jara, y si aparece otra vez le decimos lo mismo: que no tenemos la menor idea de dónde puede estar.

Borla dice esta última frase con firmeza, dando por cerrado el tema, y como ya no espera reacciones de los otros toma él mismo la iniciativa, se acerca a Marta, le alcanza la cartera, le ayuda a ponerse el saco de lino y, mientras ella calza su brazo en la manga que le ofrece, él le reitera con énfasis:

—No hay riesgo, Marta, tranquila.

Después Borla va hacia la puerta y los invita a salir, apaga la luz —algo que cada tarde hace Pablo—, da por terminada la jornada, y los espera sin sospechar cuánto esos movimientos perturban a Pablo Simó, que se ve obligado a juntar sus cosas a las apuradas y meterlas dentro de sus bolsillos sin respetar la ceremonia de todos los días. La cinta, el lápiz y la libreta van con él pero no en el lugar asignado desde hace tanto tiempo, y eso, Pablo intuye, no puede ser una señal de buen augurio.

Salen, los tres caminan con paso ligero hablando de asuntos intercambiables que tanto podrían ser el calor de mediados de marzo como que pronto empezarán a acortarse los días, eligen el tema que sea que les permita fingir que esa tarde terminó cuando Borla le dijo a Marta "¿te acerco a algún lado?", que nunca se abrió la puerta, que nunca entró una chica vestida con jean, remera blanca y zapatillas negras para preguntar inútilmente por Nelson Jara, que sólo será cuestión de dar unos pasos más, y después de despedirse en la esquina Pablo caminará las cuadras que lo separan de la boca del subte, Marta subirá al auto de Borla y cada uno irá hacia donde deba ir.

3

El viaje en subte no le ofrece a Pablo Simó demasiadas opciones como para ocupar su cabeza en otra cosa, y aunque quisiera no hacerlo, mientras pasa con intermitencia de la luz de una estación a la oscuridad del túnel, piensa en Jara. Y ante lo inevitable de su propio pensamiento, al menos se concentra para evocarlo con vida. Jara entrando en la oficina cargado de carpetas y papeles, Jara importunando en los momentos menos felices, Jara esperándolo agazapado en el oscuro pasillo del viejo estudio. Jara y sus cuadros de doble entrada, Jara y sus papeles resaltados con amarillo flúo, Jara y su traje raído, Jara y sus zapatos. Feos zapatos, se dio cuenta desde el primer día en que lo vio entrar en el estudio cargando su bolsa llena de carpetas, notas y antecedentes, pero se lo dijo recién la tarde en que el hombre se tropezó con unos rollos de papel de enmascarar que Marta había dejado a un costado de su escritorio. Mientras Pablo lo ayudaba a levantarse del piso, con los ojos clavados en esos zapatos —toscos, duros, informes, con una punta que plegaba el cuero innumerables veces como si imitara el repulgue de una empanada— no pudo evitar hacer la pregunta:

—¿Por qué usa esos zapatos, Jara?

—Por el pie plano, arquitecto —le respondió el hombre.

No parecían zapatos ortopédicos, aunque tal vez lo fueran, pero más allá del detalle del repulgue y del cuero de mala calidad, tenían los cordones ajustados y atados con doble nudo, y estaban mal lustrados. Se notaba que Jara se había tomado el trabajo de pasarles pomada pero que la voluntad no le había alcanzado para luego frotar la franela sobre el cuero y sacarles brillo. Y aunque Pablo Simó se concentra en el lustre para seguir evocando a Jara mientras estaba vivo, los zapatos se terminan convirtiendo en una trampa y lo llevan otra vez a aquella noche en que se los vio puestos por última vez. Pablo se acuerda muy bien porque a él le tocó levantarlo de los pies y a Borla de las axilas. Y esos zapatos fueron lo último que Pablo vio antes de dejar que Nelson Jara cayera, finalmente, donde sería sepultado.

La sucesión de imágenes apenas se corta en las dos oportunidades en que Pablo tiene que hacer combinación de una línea de subtes a otra. Sólo ese respiro, y dentro del tren siguiente las imágenes vuelven a repetirse desde el comienzo. Junto con el recuerdo de la sensación de sus brazos liberados del peso y el ruido apagado del cuerpo de Jara cayendo sobre la tierra húmeda, se abre la puerta del subte en Castro Barros y Pablo se apura a salir. Sube de dos en dos los escalones buscando el aire de la noche, es más tarde que de costumbre y él sabe que Laura lo está esperando, que hay problemas con su hija, que aunque los problemas no los va a arreglar su llegada, al menos frente a él Laura podrá desahogarse. Pero acaba de romper una cábala media hora antes al salir de la oficina: no guardó sus cosas como todos los días, y para confirmarlo se toca los bolsillos en busca del lápiz, la libreta y la cinta. Entonces decide que no puede dejar de hacer también lo que hace cada tarde antes de entrar a su casa, tomar el último café del día en el bar de la esquina, un bar de paso, pequeño, que sobrevive inadvertido gracias a la cercanía de la confitería Las Violetas de Rivadavia y Medrano y que, a diferencia de Las Violetas, Pablo Simó siente suyo porque no tiene que compartirlo con turistas y clientes ocasionales que llegan desde otros barrios de Buenos Aires.

En una mesa junto a la ventana revuelve el azúcar en el café mientras intenta otra estrategia para no entrar en su departamento con Jara muerto en la cabeza: pensar en Marta. Trata de concentrarse en lo que siempre funcionó: ese lunar entre rojizo y marrón que Marta Horvat tiene en una pierna, casi donde la curva termina para hundirse en la articulación de la rodilla. Después de hacer que la cuchara dé varias vueltas en el pocillo, la estrategia empieza funcionar y deja de existir en el mundo cualquier cosa que no sea ese lunar y la pierna a la que pertenece y la mujer a la que pertenece la pierna. Paga el café y va hacia su casa intentando que el lunar no desaparezca, así Pablo logra que lo que acaba de pasar en su oficina, la chica de la mochila, las mentiras de Borla, los zapatos de Jara, no sean más que pequeñas molestias que están en alguna parte no identificada, de donde el lunar de Marta no las deja salir. Mete las llaves en la puerta, la abre y detrás de ella se encuentra con Laura sentada en el sillón del living, llorando.

—No puedo más con ella —le dice.

Y Pablo sabe que cuando su mujer dice "ella" con ese tono, se refiere a Francisca. Su voz disfónica es una clara señal de que ha estado gritando, mucho. Laura le cuenta que sin aviso previo pasó a buscarla por el colegio, pero Francisca no estaba, ni siquiera había ido ese día a clases según le informaron en la secretaría. Que dio un par de vueltas y la encontró en un bar de la zona tomando cerveza con su amiga Anita, de todas sus amigas la que a Laura menos le gusta, y tres tipos.

—Tres chicos —la corrige Pablo.

—Tipos —dice ella otra vez—, si uno hasta tenía barba.

Y ya no dice más, sólo llora y llora desde entonces hasta la hora de la cena. No es la primera vez que Francisca se ratea del colegio, ni la primera vez que toma cerveza, ni, según sospecha Laura, la primera vez que sale con chicos bastante mayores que ella, pero sí la primera vez que su madre la ve, y esa imagen, Francisca con las piernas desnudas abrazadas sobre la silla, riéndose, tomando cerveza del pico de la botella, pasándole la cerveza a un tipo, dejándose acariciar la rodilla por otro, es algo que Laura no puede trasmitirle a Pablo con otras palabras que no sean "no puedo más con ella".

Media hora después están los tres sentados a la mesa. Apenas se sientan, suena el teléfono. Laura, todavía con los ojos rojos, los mira; primero a Pablo, después a Francisca, otra vez a Pablo. Él conoce esa mirada, sabe que de ese modo su mujer declara, sin que le haga falta decir una sola palabra, que no será ella quien se levante a atender el llamado. Francisca le sostiene la mirada a su madre y Pablo se lamenta porque sabe que eso irritará aún más a Laura. Él puede percibir el enojo de su mujer en la tensión de los músculos de su cuello, en la forma en que ella revuelve la comida que tiene en el plato sin llevarse nada a la boca, pero más que en ningún otro indicio el enojo de Laura se revela en la vena azulada que se le marca en la frente, justo encima del ojo izquierdo. Pablo se para y va a atender; aunque sabe que ese gesto no logrará cambiar el clima, no quiere que un teléfono que suena y nadie atiende empeore las cosas. Antes de llegar a levantar el tubo, el teléfono deja de sonar.

Pablo regresa a su lugar e intenta empezar una conversación. Busca rápidamente un tema en su cabeza pero nada le aparece con más intensidad que el lunar de Marta o los zapatos de Jara. Sigue buscando y aparece la chica de jean, remera blanca y zapatillas negras. De ninguna de esas cosas va a hablar ni con su mujer ni con su hija, entonces combina realidad y ficción y les miente acerca de su viaje en subte esa tarde, les cuenta que el tren se quedó entre dos estaciones y a un pasajero el encierro le provocó un ataque de nervios, describe la tensión en la cara del hombre tal como la ve dibujada frente a él en la de Laura pero omitiendo la vena azul sobre el ojo izquierdo porque lo delataría, inventa, cuenta con detalle sus zapatos mal lustrados, atados con dos nudos, dice que el hombre hasta intentó abrir la ventanilla para arrojarse fuera y que entre varios pasajeros tuvieron que atajarlo. Aunque le tienta hacerlo no miente que uno de esos pasajeros fue él, conoce los límites de la propia mentira, dice que fueron un hombre y una chica que tenía un lunar raro en la pierna, cerca de la rodilla. Pablo Simó cuenta todo con tal entusiasmo que parecería que hubiera sido él, y no el hombre con claustrofobia, el verdadero protagonista de su relato. Ni a Laura ni a Francisca les interesa la historia del subte más que para levantar la cabeza del plato cada tanto y mirarlo.

—Pasame la sal —le pide su hija, él lo hace y a Laura se le llenan los ojos de lágrimas.

¿Qué interpretación le habrá dado su mujer a la frase "pasame la sal" como para que se le llenaran los ojos de lágrimas? ¿O qué interpretación le habrá dado al hecho de que él le alcanzara la sal a su hija? Pablo Simó no sabe. Suena el teléfono por segunda vez; él se apura a decirle a Francisca:

—¿Podés ir?

La chica se levanta y apenas lo hace Laura le advierte:

—Si es para vos cortás inmediatamente, tenés prohibido usar el teléfono por una semana.

—Entonces que atienda otro —dice Francisca, y se sienta.

Laura mira a Pablo reclamando algo. Él quisiera cumplirle, hacer lo que ella le reclama con sus ojos, pero no está seguro de qué es eso exactamente, y aunque sabe que el pedido no se refiere a que atienda el teléfono, mueve la silla y se dispone a hacerlo. El teléfono suena dos veces más y se corta. Pablo vuelve a su lugar, los tres comen en silencio otra vez; por un largo rato sólo se oye cada tanto el ruido de los cubiertos sobre la loza o del agua vertiéndose dentro de un vaso. Pablo ya no se siente capaz de remontar la historia del subte y arrancar con otra le parece forzar la situación; evalúa que tal vez el silencio sea lo mejor, que por el momento no hay mucho más por hacer que dejar que pase el tiempo y esperar que Francisca, a pesar del enojo, mantenga durante unas semanas, tal vez hasta durante un mes entero, la rutina normal de una chica normal de quince años que va al colegio todos los días, aprueba las materias, llega temprano a su casa, y que así Laura, por fin, se calme. La rutina normal de una chica normal, eso es lo que Laura necesita de su hija, Pablo lo sabe porque así, exactamente con esa palabra, se refería Laura a su hija media hora antes, cuando dijo:

—¿Tanto le cuesta ser normal?

Y él no supo responderle porque ni siquiera está seguro de qué es ser normal. ¿Él lo es? Francisca, con el correr del tiempo, ¿se parecerá más a él o a Laura? Sospecha que su hija no cumplirá con las expectativas de la madre, pero cuando esto sea evidente también será irremediable y Laura no tendrá más remedio que aceptarlo. Por ahora, para Pablo el problema se reduce a pasar el momento como se pueda, esperar a que Francisca crezca, que pase esa edad donde todavía uno cree que puede influir sobre los hijos, hasta que llegue ese otro tiempo en el que la que fue una niña tenga la edad suficiente para no rendirle cuentas de qué toma, con quién, dónde ni a qué hora. ¿Acaso él le rindió cuentas a alguien de lo que hizo tres años atrás? Pablo mira a su hija, furiosa pero muda, y se pregunta si esa que come frente a él está más cerca de aquella que se sentaba sobre su falda, lo abrazaba y le decía al oído provocando a su madre: ¿Te querés casar conmigo?, o de la que toma cerveza en los bares y está a punto de tener sexo, si no lo tuvo ya, con alguien de quien él ni siquiera conoce el nombre. ¿Tiene derecho a saber cómo se llama ese con quien su hija se acostará por primera vez?, se pregunta. A la edad de Francisca, Pablo y Laura ya estaban de novios pero no tuvieron relaciones hasta varios años después. A la edad de

Francisca él se conformaba con tocarle las tetas a Laura, el lugar hasta donde ella lo dejaba llegar, y para él eso era premio suficiente. Primero las agarraba todas enteras con sus manos abiertas como garras, sobre la ropa que llevaba, y así se quedaba, acariciándolas, apretándolas, midiéndolas, y recién después de un rato trataba de meter su mano por debajo de la ropa, pero Laura se lo impedía, sólo le dejaba frotarse la cara sobre su pecho vestido y besarlo sobre la ropa tantas veces como él quisiera. Cuando el sexo de Pablo se ponía duro él agarraba la mano de Laura y la llevaba allí para que lo sintiera, y ella entonces sentía, y luego, casi de inmediato, lo echaba, le decía:

—Andate, andate ya mismo.

Y él obedecía, se iba, dolorido, caminaba las tres cuadras que separaban la casa de Laura de la suya, encorvado, dudando entre sentarse en el cordón de la vereda y esperar a que la erección se pasara o apurarse para llegar a su cuarto y masturbarse, sabiendo que ninguna de las dos cosas lo aliviarían. Quince años tendrían cuando se tocaban, o dieciséis a lo sumo, y Pablo se pregunta qué tan distintos eran ellos de lo que hoy es su hija. No llega a responderse, una pregunta más para la que no tiene respuesta.

Pablo mira a Francisca y luego a Laura, tan lejos una de la otra. Él también se siente lejos. Concluye que, definitivamente, el malentendido lo provoca el tiempo, los años que quedan de un lado o de otro de una línea que se va moviendo permanentemente, una línea que marca la llegada a una edad en que los hijos dejan de ser —¿alguna vez lo fueron?— la consecuencia de nuestros actos. ¿Qué podría aliviar a Laura del peso que siente por Francisca? Que Francisca fuera otra vez una nena o por fin una mujer, que estuviera en un lado o el otro de esa línea. Ver a su hija en alguna de las orillas del río, eso sería un alivio, y no en medio de la corriente, en ese lugar donde Francisca está hoy y desde donde ellos todavía creen que pueden llevarla a salvo a alguna parte. Aunque no sea cierto. Aunque nadie esté a salvo.

En medio del silencio que él ya siente casi cómodo, Laura se levanta, lleva su plato a la pileta y vuelve a la mesa con una fuente con frutas. Pablo elige una manzana y, mientras la muerde, mira a su hija una vez más; a pesar de que no tiene puesto corpiño, se da cuenta de que las tetas de Laura, a su edad, eran mucho más grandes que las de Francisca. No sabe si a su hija todavía podrán crecerle o si, como Marta, se terminará comprando a su tiempo el tamaño de tetas que más le guste. Pablo sospecha que comparar las tetas de Francisca con las de Marta o las de su madre no debe ser muy correcto. Intenta mover el foco de su atención sin caer en aquella noche interminable que empezó cuando Marta Horvat llamó a su casa llorando, y entonces le pregunta a Francisca:

—¿No querés una fruta? —mientras le muestra la manzana que acaba de morder.

—¿Me puedo levantar? —contesta Francisca.

Pablo no le responde. Si dice que sí, se enojará Laura, y si dice que no, se enojará su hija.

Decide no decir nada, finge que masticar la manzana se lo impide, y cuando termina con ese mordisco la muerde una vez más, y otra, para llenarse la boca y dejar la pregunta sin respuesta. Aunque ella lo niegue, Marta Horvat se hizo las tetas, él lo sabe, volvió de una licencia con una musculosa blanca y ni bien

Pablo la vio entrar supo que traía con ella **más de lo** que llevaba el último día que la vio. Una musculosa blanca que dejaba ver el borde superior del corpiño y que se estiraba tres talles más de lo previsto deformando la palabra estampada sobre el pecho de Marta: "*Beloved*". Él mismo podría haber estampado esa palabra, no sobre la tela sino sobre la misma piel de Marta. En medio de la imagen de esa musculosa que Pablo evoca con una nitidez que la pone frente a él como si allí estuviera, suena el teléfono por tercera vez y él, consciente de tanto enojo cruzado, se levanta en forma automática. Pero Francisca, como advirtiendo que ella hará lo que quiera y cuando quiera o, mejor aun, que nunca hará lo que se espera que haga, se apura y atiende.

—Booorrrrrrrla —dice Francisca marcando la "r" más de lo que Pablo considera apropiado tratándose de la "r" del apellido del hombre que paga su sueldo a fin de mes desde hace casi veinte años.

Pablo va hacia el teléfono con preocupación, no es común que Borla lo llame a su casa a esa hora, más aun, es absolutamente inesperado.

—Hola —dice.

Borla arremete sin preámbulo:

—No me gustó esa chica, ¿y a vos?

—No sé, yo creí que vos te habías quedado tranquilo —le contesta Pablo confundido ahora no sólo por el llamado sino porque Borla le está pidiendo su opinión.

—No, no me quedé tranquilo, lo dije por Marta, no quiero que entre en pánico, vos sabés cómo se pone cuando se asusta —dice Borla apelando a una complicidad que tampoco es habitual entre ellos.

—¿Me puedo levantar? —pregunta Francisca.

—Lo que más me preocupa es saber por qué vino a vernos a nosotros —dice Borla casi al mismo tiempo que la chica.

—Porque le debe haber preguntado a todo el barrio, al portero, al carnicero… —responde Pablo usando las mismas palabras que había dicho Borla esa tarde.

—Sí, pero nosotros no somos porteros —lo interrumpe— ni tenemos una carnicería, nadie es un cliente habitual de un estudio de arquitectura. Ves, ahí hay algo raro, algo que no me gusta, Pablo. Quiero que estés atento, si esa chica vuelve averiguá quién es, qué busca, por qué vino al estudio, por qué aparece recién ahora después de tres años.

—¿Y si no vuelve? —pregunta Pablo.

—¿Me puedo levantar sí o no? —insiste Francisca.

Pablo ve que Laura la mira sin responderle y que luego lo mira a él, que por prestarle atención pierde lo que Borla le está diciendo. Pablo busca la vena azul sobre el ojo izquierdo de su mujer, allí está, y para evitar más enojos le dice a su hija:

—Sí, andá.

La chica se levanta. Laura bufa. Borla pregunta:

—¿Qué decís, Simó? —como si el "sí, andá" hubiera sido para él.

Pablo sale del paso repitiendo la pregunta que hizo hace un rato:

—¿Y si no vuelve?

—Si no vuelve, mejor, yo te llamo por las dudas, para que estés atento, nada más —contesta Borla y sin demasiadas vueltas ni frases de forma da por terminada la conversación.

Pablo se queda un instante así, con el tubo en la mano.

—¿Qué quería? —pregunta Laura.

—Nada importante —le contesta él.

—Aunque sea le hubieras pedido que me ayudara a levantar algo de la mesa —se queja Laura cambiando de tema sin transición, lo que confunde a Pablo durante el tiempo que le lleva darse cuenta de que su mujer habla otra vez de Francisca y no de Borla.

Laura se levanta para llevar a la pileta los platos sucios que todavía quedan sobre la mesa.

—Dejá que yo me ocupo —le dice él.

Ella acepta, pero antes de irse al dormitorio insiste una vez más como para dejar claro qué es lo único importante, lo único que a Pablo tiene que quedarle dando vueltas en la cabeza esa noche:

—Por favor, hablá con Francisca.

Entonces ella se va. Él permanece un instante así, solo, mirando los platos sucios, los vasos con restos de bebida, la mesa medio vacía. Se pregunta qué pasaría en esa casa si un día Laura o Francisca se enteraran de lo que él hizo. Si podrían entenderlo o lo condenarían. Si ellas en su lugar habrían hecho lo mismo. Junta lo poco que queda, va a la pileta y lava los platos; podría dejarlos sucios para que mañana los limpie la mujer que los ayuda con las tareas de la casa, pero le gusta lavarlos, dejar correr el agua y el detergente, mirar la espuma girar sobre la loza, enjuagarlos, ponerlos a secar uno junto al otro sobre un repasador para que no resbalen. Vuelve a sonar el teléfono, Pablo sacude las manos, busca otro repasador pero como no encuentra ninguno a la vista se las termina de secar sobre los bolsillos del pantalón. Atiende, esta vez escucha la voz de Marta que dice:

—Estoy asustada, ¿y vos?

Pablo se queda un instante con el tubo en la oreja, sorprendido por el llamado, sin decir una palabra. Marta insiste:

—¡Hola!, ¿estás ahí, Pablo?

—Sí, acá estoy —dice apurado por el temor de que Marta no espere su voz y corte.

—¿Vos no estás asustado?

—No, no estoy asustado.

—¿En serio?

—Ni siquiera estoy preocupado, Marta, quedate tranquila —contesta intentando ser convincente—. De verdad yo creo que no pasa nada, como dijo Borla.

Mientras espera oír la voz de Marta, Pablo calcula que debe ser una de las pocas oportunidades —fuera de aquella otra noche— en que ella lo llama a su casa y no para quejarse de algo que él no hizo o que hizo mal. Al menos para eso sirvió que apareciera la chica esa tarde en la oficina: para enterarse de que Marta, de vez en cuando, todavía lo necesita.

—No puedo dormir —le dice ella—, no sé cómo voy a hacer.

Y Pablo quisiera decirle lo que se le pasa por la cabeza cuando ella dice "no puedo dormir, no sé cómo voy a hacer", pero no se atreve. Entonces busca otra frase, menos verdadera pero más apropiada:

—En serio, no hay motivo para que no puedas dormir.

Después de dos o tres frases que no agregan mucho más, Marta está mejor; al menos eso es lo que dice, le agradece y corta. Pablo termina de acomodar lo que le quedó pendiente, apaga la luz y se va a dormir. O eso es lo que intentará. Cuando entra al cuarto el televisor está encendido y Laura parece estar dormida. Busca el control remoto entre las sábanas y apaga el televisor.

—No apagues que estoy viendo —dice ella y se incorpora apenas sobre el respaldo de la cama para confirmarlo.

Pablo se saca la ropa y se mete en la cama, Laura le pregunta:

—¿Hablaste con Francisca?

—Todavía no —se excusa él—, prefiero hacerlo cuando no esté tan enojada.

—Entonces no vas a hablar nunca —dice ella, y agrega sin pretender que suene como una orden pero con la firmeza suficiente como para que Pablo la tome como tal—: Mañana andá a buscarla a la salida del colegio y hablale.

—Sí, quedate tranquila —dice él y se da cuenta de que es la segunda vez en esa noche que le dice a una mujer que se quede tranquila.

Por unos minutos los dos permanecen así, acostados uno junto al otro, callados. Un rato después Pablo se pone de lado y le acaricia el muslo. Laura primero se crispa, como si se asustara, y luego se relaja, apenas, tanto como ella puede. En la pantalla una mujer policía revisa un cadáver todavía tibio, Pablo mira las imágenes pero no lee el subtitulado. Sin parecérsele, la mujer policía le recuerda a Marta, la forma en que se sonríe, el movimiento con que el pelo le cae sobre los hombros. Pablo recorre el muslo de su mujer con una caricia larga y aunque ella no se mueve ni dice nada él decide que si Laura no corrió la pierna es porque está dispuesta a tener sexo esa noche. Entonces se acerca y extiende la caricia deslizándose debajo del elástico de su bombacha hasta llegar al vello. Laura hace un pequeño movimiento, como un reflejo, cierra las piernas, pero luego se afloja otra vez. Pablo la espera y recién después de un rato de caricias intenta besarla; ella corre la cara, apenas, sin que eso llegue a ser claramente un rechazo, y el beso le termina rozando la mejilla, muy cerca de la comisura de los labios. Entonces Pablo baja desde ahí a su hombro, y allí, en el hombro de su mujer, encuentra la boca de Marta, la boca de quien hace unos minutos lo llamó y le dijo:

—No puedo dormir, no sé cómo voy a hacer.

Por eso él va a su casa y se recuesta junto a ella, le acaricia el pelo para que se duerma, le acaricia la cara con el dorso de la mano, y cuando parece que ella está dormida Marta lo agarra y lo lleva hasta su boca, que está exactamente en el hombro de Laura, Pablo abre esos labios con los suyos, Marta lo deja, Marta no se crispa, ni corre la cara, ni cierra las piernas, y la lengua de Pablo choca con los dientes de Marta, los recorre, uno a uno, porque Laura ya no está, ni ella ni su hombro, es la boca de Marta, Laura murió en algún accidente, o por una enfermedad, no sabe, sólo sabe que ahora puede estar con otra mujer, la que desea, y que él siente cómo su cuerpo se endurece una vez más gracias a ella mientras espera penetrarla, estar dentro, y es Marta la que lo guía, lo busca, le ruega que se hunda en su sexo, que la coja, así lo pide Marta Horvat, y a él le gusta oírla, él atiende ese ruego y la penetra las veces que ella lo diga, como ahora penetra a Laura, a Laura no a Marta, que ni habla, ni pide, ni ruega, Laura, que apenas se subió el camisón y se bajó la bombacha hasta la mitad del muslo, lo necesario para que él encuentre el camino, Laura, que cumple con su parte sin sospechar que en esa cama hay otra mujer, desnuda, iluminada por la luz de la pantalla de un televisor que nadie mira: Marta, que se mueve debajo de él para sacar del cuerpo de Pablo eso que a veces sólo ella sabe sacar.

Laura toma una pastilla, apaga la luz y se acomoda para dormir formando una curva, de espaldas a él. Pablo mira a su mujer, con el resplandor del televisor le alcanza para adivinar su hombro todavía joven, su piel apenas bronceada, la pequeña cicatriz que tiene desde siempre sobre el omóplato izquierdo. Laura hace un movimiento involuntario, una patada, y Pablo concluye que su mujer acaba de soñar que cae en un pozo. Y del pozo de Laura, Pablo va sin remedio a aquel otro pozo, la zapata abierta que debía haber sido cimentada al día siguiente. Aunque cierra los ojos lo tiene frente a él, no puede evitarlo, no puede hacer que desaparezca. Pero se da cuenta de que lo que sí puede hacer esta vez es que el hueco abierto en el terreno espere en vano que Pablo haga lo que Borla le pide: tirar el cuerpo de un hombre adentro. Esta vez él dice que no, que no lo va a hacer. Y Marta no llora, ni pide, ni tiembla. Pero entonces, para que el pozo no quede vacío, Pablo se tira en él, se zambulle, no cae de inmediato como caería un peso muerto, flota en el aire como una pluma, flota dentro de un espacio que no tiene fondo, que no termina, y eso, lo interminable de la caída, lo angustia más, porque si Pablo Simó estuviera en condiciones de elegir, elegiría caer y estrellarse.

Apaga el televisor. Pasan los minutos, quizás hasta una hora, y él sigue sin poder dormir. Pero tiene que intentar hacerlo, tiene que aprovechar esa calma, el cansancio del cuerpo satisfecho. Por eso, siguiendo la curva que dibuja la silueta de Laura, Pablo se acomoda en la cama imitando su postura, detrás de ella, sin tocarla esta vez, y se tapa la cabeza con la almohada para que la luz del amanecer que en unas horas se filtrará por la ventana no termine de desvelarlo. Cuando está por dormirse, en ese raro punto ubicado en algún lugar al filo de la conciencia, escucha que Laura con la voz todavía ronca dice:

—Prometeme que mañana hablás con Francisca.

Y Pablo promete.

4

Durante varios días nada sabe Pablo Simó, ni nadie en el estudio Arquitecto Borla y Asociados, de la chica de la mochila que preguntó por Nelson Jara. Las preocupaciones de Laura con respecto a Francisca lo mantienen ocupado, y aunque hasta el momento la intervención de Pablo no pasó de una charla apurada con su hija a la salida del colegio en la que predominaron silencios y monosílabos, Laura saca el tema todas las noches, por lo general cuando están en la cama, y Pablo se ve obligado a repasar con ella los escenarios posibles que van —con distintas escalas— de la travesura adolescente a la delincuencia juvenil.

Hasta una mañana de abril en que Pablo va a la inmobiliaria que vende lo que Borla manda construir, para discutir con sus empleados promesas, hechas en su nombre, a futuros compradores: una ventana más en un lugar inapropiado, cerrar un ambiente con una pared divisoria porque el comprador necesita sí o sí una habitación más o echar abajo otra pared para agrandar un ambiente, convertir el vestidor en escritorio o el escritorio en vestidor, agregar enchufes, poner una canilla donde los caños no llegan, o llevar gas al balcón, ¿para qué? El cambio que sea que el comprador haya sugerido o puesto como condición a la hora de concretar la compra y que el vendedor juzgó con apresuramiento "una pavada que los arquitectos no van a tener inconveniente en cambiar". Pero a pesar de que ellos usan el plural y dicen "los arquitectos" se refieren sólo a Pablo Simó, a quien Borla le asignó la tarea de satisfacer las demandas de los clientes con la precisa consigna de que no se cayera ninguna venta, aunque los cambios pedidos vayan contra las más elementales reglas de la arquitectura, pero siempre y cuando los costos puedan ser trasladados al cliente y no incrementen el riesgo de convertir la ganancia —medida según la regla del arquitecto Borla— en insignificante.

—Quién se cree que es para ponerse así. Te das cuenta cómo es la gente, Pablo —le dijo Borla la tarde en que un colega salió de la oficina golpeando la puerta con la contundencia necesaria como para dejar claro su enojo, después de que Borla le rechazara un proyecto en el que le había ofrecido participar—. ¿Acaso esto es una oficina de beneficencia o un consultorio psicológico? ¿Hacemos arquitectura social nosotros? Para eso en lugar de hacerle el negocio a este tipo me pongo a construir barrios de viviendas, como hacíamos al principio, ¿te acordás, Pablo?

Y Pablo se acuerda, siempre, del barrio Juan Enrique Martínez en Chubut, del barrio del Sindicato Textil en Paraná, del barrio San Agustín, con sus setenta y dos viviendas, en Río Tercero; obras pensadas por él, proyectadas por él y dirigidas por él. A pesar de lo estándar que pueda parecerles a algunos la arquitectura de un barrio de viviendas, Pablo Simó nunca levantó un barrio igual a otro: viajaba al lugar, se instalaba unos días en la zona, recorría el terreno, si era posible entrevistaba a quienes iban a vivir allí. Aunque se trataba de viviendas económicas, Pablo elegía personalmente los materiales y los colores haciendo malabares dentro del presupuesto asignado. A lo que más tiempo le dedicaba era al espacio común, el lugar donde quienes allí vivirían se iban a encontrar después de trabajar todo el día, donde jugarían a la pelota o a las cartas, o tomarían mate o cerveza, o conversarían, escucharían música o mirarían juntos un partido de fútbol, allí donde a su manera harían lo que él sabe que hay que hacer cuando termina cada tarde sin remedio: completar el tiempo hasta el nuevo día. Por el barrio San Agustín habían ganado el Premio Nacional de Urbanismo dieciocho años atrás. De todas las obras de arquitectura que hizo en su vida profesional —Pablo Simó lo sabe—, los barrios de viviendas fueron las únicas en las que de verdad pensó en el otro, en ese que iba a habitar la casa que él definía. Y pensó en ese otro no como una abstracción, lo pensó de carne y hueso, con una cara, una risa y un olor propios. Después ya no. Después empezó una época en que para ganar una licitación había que bajar tanto el margen de ganancia que a Borla le pareció un esfuerzo inútil meterse en semejantes proyectos. Pero además influyó el resurgimiento de la actividad inmobiliaria privada, el valor creciente del metro cuadrado en Buenos Aires y la posibilidad de créditos, todos factores que le permitían a Borla ganar mucho más dinero comprando un terreno y construyendo hacia arriba que intentando algún artilugio con los mayores costos y las polinómicas para poder entrar en una licitación en la que cobraría tarde y mal. Después de rechazarle a Pablo dos proyectos seguidos, Borla le enseñó cómo debía ser de ahí en más su filosofía de trabajo: no pensar en cómo es quien va a habitar la vivienda que ellos levantarán, sino en los motivos por los cuales ese otro comprará lo que le ofrezcan. Un barrio de viviendas, contratado por un gobierno, una empresa o un sindicato, ya está vendido antes del momento en que se levanta; un edificio de departamentos no. Y Pablo Simó, que trabaja para Borla desde que se recibió de arquitecto, aceptó sus indicaciones sin más cuestionamientos que, de cuando en cuando, robarle tiempo a su tarea cotidiana para dibujar la torre de once pisos que mira al Norte. La torre que sin embargo tampoco proyecta pensando en otro, sino en sí mismo.

Entonces ese día de abril, de regreso de la inmobiliaria, Pablo se detiene a tomar un café en un local de una cadena que desparramó sitios idénticos por toda la ciudad, un lugar bastante diferente al bar al que suele entrar él cada día a media mañana, donde están los mismos mozos desde hace años, mozos que gritan sus pedidos a la barra con una energía que Pablo envidia, manteles blancos sobre las mesas de madera, el azúcar en jarros de vidrio con un pico de metal en la punta, más parecidos a un biberón que a una azucarera. El motivo principal por el que Pablo Simó nunca va a aquel otro café es que detesta, por una cuestión de principios y lealtad a lo que él cree que es la arquitectura bien entendida, cualquier obra que pertenezca a una cadena.

—Los locales de una cadena no los define la arquitectura, los define el marketing, Simó —le dijo Marta Horvat una tarde volviendo de San Telmo, donde habían ido a evaluar la compra de un viejo edificio para demoler, y se pararon frente a un anodino local de perfumes que bien podría haber estado en un *shopping* pero no en esa calle empedrada.

Además es muy raro que Pablo vaya para ese lado, la esquina contraria a la boca del subte, una esquina por la que él sólo pasa cuando vuelve de la inmobiliaria. Y en esas oportunidades suele venir de tan mal humor que ni siquiera le dan ganas de parar a tomar su café de media mañana. Sin embargo ese día algo lo hace detenerse, pasa de largo por delante de la entrada y vuelve sobre sus pasos. Tal vez porque bajó la temperatura de golpe y la llegada inesperada del frío lo tienta a tomar algo caliente. O porque olió aroma a café recién molido. O porque se siente mejor que otros días ya que pudo rechazar tres de las absurdas demandas de los agentes inmobiliarios, que ante su negativa lo miraban contrariados a pesar de que dos de los cambios que pedían consistían en ventanas en paredes que sostenían vigas y aceptarlas ponía en peligro la estructura y, en consecuencia, la estabilidad del edificio. Podría ser cualquiera de estas razones, otras o ninguna, Pablo no se pregunta el motivo pero entra y se sienta en una mesa junto a la puerta, una de esas mesas que todo el mundo evita porque cada vez que un cliente entra o sale lo incomoda. Apenas se sienta, alguien le habla por encima del hombro:

—Buen día.

—Un café fuerte en jarrito —contesta él sin darse vuelta.

Pero ni bien lo termina de decir le llega desde atrás una risa franca aunque suave, que no parece adecuada ni siquiera para la moza de un café como ése. Pablo gira y se encuentra con la chica de la mochila.

—Hola —le dice ella.

Él tarda un instante en decir también:

—Hola.

Y se da cuenta, por primera vez, de que la chica de la mochila es linda.

Lo piensa así exactamente, con esas palabras: una linda chica. Tal vez un hombre no se daría vuelta por la calle para mirarla, tal vez ella no llamaría su atención: su cuerpo no es exuberante, no usa maquillaje, lleva el pelo atado sobre la nuca en una cola de caballo. Pero es linda, definitivamente. Pablo no sabe si la chica tiene puesta la misma ropa que el día en que la conoció; aunque no fuera así podría serlo: un jean, una remera y zapatillas. Sin embargo hoy tiene algo diferente en su rostro, como si su cara estuviera enmarcada por una luz más clara y eso resaltara la simplicidad de sus rasgos. La chica sonríe, con los ojos más que con la boca, y él podría quedarse así, analizando cada uno de los detalles de su cara, pero se da cuenta de que ella se inquieta por el silencio y sospecha que tiene que decir algo o la chica se terminará yendo.

—¿Todavía buscando a Jara? —le pregunta.

—No, ya no —le responde ella.

—Solucionaste lo de tu trámite.

—Sí, por suerte sí.

—Y lo pudiste solucionar sin Jara… —dice él.

—Sí. Dónde se habrá metido, ¿no?

Pablo no responde porque la pregunta que acaba de hacerle la chica le hace recordar que ella no sólo es linda sino que también es una amenaza, y eso, el sentirse amenazado, es lo que le permite no ser honesto y decirle a su vez:

—Era un tipo raro Jara, vaya uno a saber dónde está.

—Por suerte ya no lo necesito —dice ella.

—¿Y entonces qué haces por el barrio todavía? —pregunta Pablo consciente de que en pocos minutos tendrá que darle cuenta de esta charla a Borla.

—Vivo acá cerca, me mudé por la zona.

—Ah, qué bien —dice Pablo, y se queda mirando la sonrisa de sus ojos.

Entonces se produce otra vez un silencio incómodo entre los dos. La chica se acomoda la mochila sobre el hombro no porque haga falta, sino por hacer algo mientras se define el silencio. Pablo podría asegurar que esa sí es la misma mochila que llevaba el otro día, pero a la que sin dudas hoy le está dando otro uso. La tarde en que la conoció la mochila parecía repleta de cosas: la carga se veía pesada, los cierres tensos, la lona sin una arruga, en cambio hoy luce desinflada, vacía, fofa. La cara de la chica también cambió pero en otro sentido: está más descansada, los ojos color caramelo brillan en medio de su piel joven, el pelo oscuro refleja el sol que entra por la ventana. Como si se sintiera en falta, la chica desliza la mano por su cabeza y acomoda la goma blanca que ata su pelo. Pablo le mira las manos y se da cuenta de que están lastimadas, como si hubieran sido sometidas a un trabajo para el que no estaban preparadas; en una versión más delicada le recuerdan cómo quedaron sus propias manos la noche que murió Jara. La chica se da cuenta de que Pablo las mira y se excusa:

—Limpieza profunda de mi nueva casa sin guantes de goma —dice. Y luego—: Bueno, ya me tengo que ir.

—Siempre es lindo estrenar casa… —le dice Pablo y hace una pausa buscando su nombre pero se da cuenta de que no lo sabe.

—Leonor —le dice ella—, ¿y vos?

—Pablo Simó —dice él. Y repite una vez más su nombre sólo para poder pronunciar el de la chica—: Pablo Simó, Leonor. Si te puedo ayudar en algo, llamame.

—Bueno, gracias —dice ella y busca en la profundidad vacía de su mochila el teléfono móvil donde se dispone a anotar—. Dame tu celular así lo agendo.

—No tengo —le dice Pablo.

Ella se lo queda mirando un instante y al fin le dice:

—No te creo.

—No tengo teléfono celular, en serio, no uso.

Leonor le sonríe como si todavía dudara de si Pablo habla en serio o no, pero de todos modos toma una servilleta de papel y anota su número y su nombre. Cuando se la da, dice:

—Debés ser un romántico, entonces.

A Pablo la palabra "romántico" de alguna manera lo inquieta, lo pone alerta; teme que esa extraña sensación que le produjo se le note en la cara; entonces se busca en la ventana pero no se encuentra en el vidrio que refleja un sol que lo enceguece. Todavía está perdido cuando ella le habla y eso lo devuelve a la charla:

—En quinto año hicimos en el colegio una versión moderna de *Romeo y Julieta*, como si sucediera en el siglo XXI, todo iba más o menos bien hasta una de las escenas finales, cuando en la versión original el mensajero se cruza en el camino con Romeo y no llega a decirle que lo que tomó Julieta no es un veneno sino un somnífero, y eso es lo que dispara la tragedia final, ¿sabés lo que decía el mensajero de nuestra versión?

Pablo niega con la cabeza. Ella se tienta antes de decirlo, la risa le ilumina la cara un instante y luego se controla para poder terminar con la anécdota:

—Dijo: Parece que el celular de Romeo está fuera del área de cobertura. Las ciento cincuenta personas que nos fueron a ver al salón de actos estallaron en carcajadas y no pararon de reírse hasta que bajó el telón. No hubo tragedia posible, fue un fracaso.

Pablo se sonríe. Ella también.

—¿Te mando un mensajero, entonces? —le pregunta la chica.

—Llamame al estudio —le contesta él y está a punto de tomar otra servilleta para anotarle el teléfono de su oficina, pero ella lo detiene:

—No hace falta, lo tengo agendado.

Leonor busca el número en la pantalla con una velocidad que Pablo sólo vio antes en los dedos de Francisca, y lo recita en voz alta, dígito a dígito, para verificarlo con él.

—Es ése, sí —confirma Pablo.

Entonces ella se despide, le da un beso en la mejilla, y se va.

Mientras juega con la servilleta que le dio la chica, Pablo se queda preguntándose qué de todo lo que hablaron le contará a Borla, y qué no. Se imagina una por una todas las preguntas que le hará su jefe. Borla empezará con: ¿por qué la chica se mudó a este barrio?, y terminará con: ¿y para qué nos tiene agendados? Y Pablo no cree tener respuesta para tanta pregunta. Por eso decide no nombrar al mensajero de *Romeo y Julieta* y obviar la última parte de la conversación, a partir de cuando él le dijo a Leonor: "Si te puedo ayudar en algo, llamame".

5

Pablo Simó y Nelson Jara se habían conocido unas semanas antes de su muerte, quizás un mes antes, y contando la última noche en la que Jara ya estaba muerto, apenas se vieron dos o tres veces más. Sin embargo, Pablo tuvo desde el primer momento la rara sensación de que conocía a ese hombre con mayor detalle del que se desprendía de aquellos cortos encuentros.

La presentación no había sido clásica. Pablo sabía que Jara vendría a verlo en cualquier momento pero aun así su aparición aquella mañana en el pasillo oscuro del viejo estudio lo tomó por sorpresa. Borla y Marta le habían hablado de ese hombre el día anterior —lo habían llamado "un viejo de mierda" a pesar de que Jara no tenía muchos más años que el mismo Borla— después de haber estado encerrados en la sala de reuniones discutiendo a los gritos. Pablo creía conocer esos gritos: uno de los oportunos ataques de nervios que cada tanto le daban a Marta, en los que empezaba diciendo que renunciaba, que ese trabajo le estaba consumiendo la vida, que se iba, se iba y se iba. Ataques que terminaban tan abruptamente como habían empezado, cuando ella conseguía que el arquitecto Borla le pagara una semana de licencia en algún lugar del mundo que garantizara playa y sol todo el año, de donde Marta regresaba con la piel bronceada, con ese bronce que no le da ninguna playa de la costa argentina a ninguna otra piel que Pablo conozca. Descubrir la línea blanca de un fino bretel que Marta no se había ocupado de bajar antes de dejarse caer sobre la arena era, en todos esos años juntos, de las cosas más excitantes que Pablo recuerda. La última vez, el verano anterior a la muerte de Jara. Él casi la toca, casi apoya su mano sobre ese hombro desnudo que dejaba al descubierto una remera sugestivamente atada detrás del cuello. No sabe qué le pasó, no sabe cómo llegó a esa distancia, lo último que recuerda es que estaba allí, detrás de ella, esperando que Marta terminara de hacer unas copias en la máquina de fotocopiar para luego él hacer las suyas, y después un blanco, una laguna, un olvido, y para cuando tomó conciencia de lo que hacía se encontró con que su dedo índice recorría esa línea sin bronce, de arriba abajo, a sólo milímetros de la piel de Marta, sin rozarla, dibujándola en el aire. Pablo no supo entonces si lo excitó más la imagen de su dedo a punto de tocarla, a punto de correr ese bretel inexistente para dejar el pecho de Marta al desnudo, o la posibilidad de que ella girara y lo sorprendiese así.

Pero la piel bronceada, el bretel dibujado sobre su hombro, él a punto de tocarla, sus pechos, la playa donde Pablo la imaginaba, todo eso fue antes. Después, apenas unos meses después, ya no hubo tiempo para dejarse llevar a esos lugares. Esa tarde, cuando terminaron los gritos, Borla y Marta salieron de la sala de reuniones y le explicaron quién era Jara.

—Ese tipo nos quiere parar la obra de la calle Giribone porque le apareció una grieta en la pared de su departamento —dijo Borla—. Vos sabés cómo ocuparte de estos temas, Pablo.

—Sacámelo de encima —remató Marta.

Pablo se perdió en la frase "sacámelo de encima", y aunque eso le impidió escuchar algunas de las otras que siguieron, lo que oyó le alcanzó para saber de qué se trataba el asunto. No era la primera vez que alguien se quejaba porque una obra de ellos, o de cualquier otro estudio o constructora, producía algún trastorno en un edificio lindero. Eso era parte del trabajo, una tarea más, ver el daño producido, definir si es que había tal daño —discusión larga que permitía ganar tiempo, avanzar con la construcción y posponer el arreglo para cuando las finanzas de la obra estuvieran en mejores condiciones—, minimizar el daño, prometer solucionarlo de la manera más económica posible, y no mucho más.

—Este viejo es muy denso, es pesado en serio —le advirtió Marta.

—Está aburrido y se entretiene a costa nuestra —dijo Borla con intención de restar importancia al problema y, probablemente, de tranquilizar a Marta.

—Te garantizo que un viejo así puede terminar siendo un verdadero infierno —insistió ella.

—¿Un viejo así cómo?—preguntó Pablo.

—Un viejo de mierda —contestó Marta.

Faltaban apenas unas horas para que Pablo Simó lo conociera y pudiera sacar sus propias conclusiones. La primera impresión no fue de las mejores. Cuando él bajaba del ascensor y antes de que terminara de cerrar la puerta, Jara se deslizó como una sombra, le tocó un hombro y le dio un susto que a alguien con un corazón más delicado que el suyo podría haberle provocado un infarto. En aquella época el estudio Arquitecto Borla y Asociados estaba en otro sitio, en el tercer piso de un edificio de los años cincuenta donde estuvo desde sus inicios hasta que las características del negocio, el tamaño de las maquetas, la necesidad de que la propia oficina funcionara como un *show room*, hicieron que Borla tomara la decisión de reservarse un espacio más amplio en la obra en la que trabajaban entonces sobre la calle Giribone, el edificio donde están ahora y del que ya no podrán moverse porque a ello los condenó un cuerpo enterrado bajo la losa del subsuelo. El otro estudio, aquel donde se conocieron Simó y Jara, estaba a unas cuadras de Dorrego y Corrientes, cuando a esa zona del barrio nadie la llamaba Palermo sino Chacarita. Pablo había salido del ascensor al pasillo oscuro, solitario como todas las mañanas, con olor a desinfectante mezclado con lavandina. No era común encontrarse con alguien ahí a esa hora del día, pero ahí estaba Jara, sonriéndole, extendiéndole la mano mientras decía:

—¿Lo asusté, arquitecto? Nelson Jara, mucho gusto.

Y aunque Pablo se había asustado lo negó:

—No, no se preocupe —dijo, y lo hizo pasar al estudio.

Jara cargaba una bolsa de plástico de una zapatería, desbordada de carpetas. Una de las manijas se había desgarrado, por eso la llevaba con una mano y con la otra la sostenía de abajo para que el peso de los papeles no terminara de romperla. Las carpetas se asomaban por encima, ajadas, con las puntas curvadas. Pablo le pidió a Jara que se sentara mientras él se tomaba su tiempo para acomodarse en el escritorio. Sacó su libreta del bolsillo, la puso a un costado y sobre ella cruzó el lápiz Caran d'Ache acomodándolo hasta que ocupara, como cada día, la diagonal exacta de la libreta: de abajo hacia arriba, de izquierda a derecha. Jara, sentado frente a él, lo esperó, siguiendo sus movimientos, asintiendo con la cabeza como si estuviera aprobando lo que Pablo Simó hacía, balanceándose con una pequeña oscilación, sin mover la silla, sólo llevando su cuerpo hacia delante y hacia atrás, las piernas cruzadas y las manos entrelazadas en su regazo.

—Usted dirá —dijo finalmente Pablo.

De inmediato Jara detuvo el balanceo y empezó a buscar dentro de su bolsa, de donde sacó papeles que fue desparramando sobre el escritorio, invadiendo el espacio de Pablo Simó como un conquistador que decidió que, más allá del resultado de la batalla final, ese lugar ya es suyo. Una carpeta naranja terminó apoyada sobre la libreta, el lápiz Caran d'Ache de Pablo rodó abandonando la diagonal y él, sin poder hacer otra cosa ante el despliegue de pertenencias que hacía Jara, siguió con la mirada el recorrido del lápiz hasta el lugar donde se detuvo, casi en el borde del escritorio, a menos de un centímetro de caer al suelo. Y aunque ver su Caran d'Ache fuera de lugar lo incomodaba, Pablo no se atrevió a mover la carpeta de Jara y devolver el lápiz a su sitio porque habría sido inútil: el hombre aún no terminaba, todavía le faltaba poner sobre la mesa un álbum de fotos, otra carpeta por donde se asomaban artículos de diarios y revistas cortados a mano y mal doblados, fotocopias de edictos municipales y un par de sobres con la leyenda "Documentos varios". Pablo, a pesar de su inquietud, dejó todo como Jara lo había dispuesto, sólo quitó de abajo de la pila de papeles la boleta de gas de su departamento, que vencía esa tarde, y la puso en un lugar visible para no olvidarse de pagarla.

—¿Por dónde empezamos, arquitecto? —le preguntó.

Jara esperó la respuesta mirándolo a los ojos y con una sonrisa que, por inoportuna, incomodó a Pablo. Una sonrisa que a él le recordaba la de un vendedor de corbatas a domicilio, que cada tanto venía a la oficina con una valija llena de muestras de distintos modelos, colores y telas, de las que Borla le encargaba varias y Pablo apenas una que pagaba en tres cuotas. Pero quien estaba frente a él no era un vendedor de corbatas sino alguien dispuesto a frenar la construcción del edificio de la calle Giribone porque creía que se le estaba por caer la pared del living de su casa encima.

—¿Por dónde quiere empezar? —insistió Jara señalando sus papeles.

Y Pablo, si por él hubiera sido, no habría empezado por ninguna parte; si por él hubiera sido estaría dándole los últimos retoques a alguna obra ya definida, proyectando un nuevo edificio, dibujando su torre de once pisos que mira al Norte en alguna de sus tantas versiones o pensando en Marta. Pero estaba allí, atrapado, hasta cumplir con la tarea de atender a ese hombre, así que lo mejor era terminar cuanto antes, por lo que sin ningún esfuerzo eligió la frase más obvia con que responder a la pregunta "¿por dónde empezamos?" y le contestó:

—Empecemos por el principio.

Entonces Jara movió el dedo índice en el aire con rapidez hacia arriba y hacia abajo, como diciendo "le agarré el chiste", y de inmediato empezó a revolver en su propio desorden hasta que terminó poniendo encima de todo un álbum de fotos abierto en la primera página, mientras decía:

—Ahí tiene la evidencia que necesita, arquitecto. Si usted es un especialista en excavaciones y derrumbes, como dice su colega el arquitecto Borla, no creo que necesite mucho más. ¿Colega o jefe? —le preguntó, al mismo tiempo que giraba el álbum y se lo acercaba para que la imagen quedara frente a él.

Pero Pablo no contestó la última pregunta, "¿colega o jefe?", ni tampoco tomó de inmediato el álbum que Jara le ofrecía, porque se distrajo pensando en si Borla, en efecto, habría dicho que él era un "especialista en excavaciones y derrumbes", exactamente así, con esas palabras; y suponiendo que sí lo hubiera dicho, se preguntaba si habría sido una frase sin intención alguna, una frase para contentar a ese hombre que exigía ser atendido, o si sus palabras escondían una referencia irónica que Pablo no terminaba de entender. ¿Puede alguien ser especialista en excavaciones y derrumbes? Jara extendió un poco más el brazo con la intención de que el álbum abierto quedara a la altura de los ojos de Pablo y que así él pudiera ver una serie de tres fotos de la misma pared cruzada por una grieta. La pared no cambiaba en ninguna de las imágenes pero la grieta sí, avanzaba, crecía lo que en escala aproximada Pablo juzgó unos cinco centímetros de una foto a otra. Entonces sí Pablo Simó tomó el álbum, examinó la serie, y con un gesto pidió permiso para cambiar de página:

—¿Puedo?

—Como si fuera suyo, arquitecto —le contestó Jara.

Pablo volteó la página y apareció la siguiente: la misma pared, la misma grieta, pero en cada fotografía la fisura era un poco más larga. Aunque la grieta le pareció importante, como en un juego de ajedrez Pablo cerró el álbum, lo dejó a un costado y dijo:

—¿Alguna otra cosa?

Jara, probablemente decepcionado pero tratando de que no se le notara, lo miró un instante con su sonrisa de corbatero y luego, como si fuera a mostrarle un producto superior al anterior, hecho con seda natural de la India y terminaciones a mano, guardó el álbum en la bolsa y, con lo que Pablo supuso una deliberada intención de generar suspenso, se tomó el tiempo necesario para abrir otra de las carpetas donde, en un gráfico de ejes xy, el hombre había dibujado la curva de crecimiento de la grieta que Pablo acababa de ver fotografiada. Las "x" representaban los centímetros de pared recorridos por la fisura y las "y" el tiempo transcurrido en el avance hasta el momento, o sea, ese mismo día en que acababan de conocerse.

—¿Se tomó el trabajo de medirla esta mañana, Jara? —le preguntó Pablo.

—La mido todos los días, arquitecto, dos veces: una cuando desayuno y otra vez a la noche, antes de acostarme.

Pablo alzó la mano para tocar su cinta métrica en el bolsillo superior del saco y se imaginó a ese hombre, tal vez con una cinta igual a la suya, tal vez con un centímetro de hule amarillo —de esos que usan las modistas y están irremediablemente estirados de tanto medir contornos de caderas y largos de manga— o hasta con la regla de plástico con la que Pablo suponía que Jara dibujaba las líneas de los ejes xy, subido a una silla midiendo el recorrido de una fisura que avanzaba en su casa pared abajo.

—¿Necesita que le muestre algo más o ya es suficiente? —le preguntó Jara.

Y aunque la imagen del viejo tambaleando sobre una silla le hizo sentir por Jara cierta consideración, Pablo no se olvidaba de cuál era el objetivo de la reunión que lo hacía estar sentado frente a ese hombre y preguntó:

—¿Cuál es el ancho?

—¿El ancho? —repitió Jara.

—El ancho, sí —dijo otra vez Pablo, y le aclaró con la seguridad que le daba creer que acababa de hacer una buena jugada—: Jara, usted sabe que el estudio le va a pagar el revoque de su pared, pero por lo que me dijo el arquitecto Borla eso a usted no lo satisface, ¿cierto?

—Muy cierto, no me satisface. La grieta pone en riesgo la estructura de mi casa y esa grieta apareció el día siguiente al que ustedes empezaron a cavar en el terreno vecino. ¿Sabe, arquitecto?, por ese terreno es por donde entra el sol a mi casa a la mañana.

—Yo el sol no se lo puedo devolver, Jara; tuvo suerte si en tantos años nadie le construyó nada al lado.

—No estoy acá por el sol sino por la grieta —aclaró el hombre.

—Por eso es que le pregunto cuál es el ancho —repitió él.

Jara, por primera vez en ese encuentro, perdió su sonrisa; se lo veía concentrado, pensando con detenimiento su próximo movimiento. Pablo se dio cuenta y antes de que pudiera hacerlo se le adelantó:

—No es tan importante el largo de una grieta como su ancho. ¿No lo sabía? La que usted me muestra en sus fotografías es larga, sí, pero definitivamente puede no implicar ningún riesgo en la estructura de su edificio, ¿me entiende? —dijo y esperó una respuesta, pero en lugar de dársela Jara empezó a balancearse otra vez hacia adelante y hacia atrás. Entonces Pablo siguió—: Mire, Borla le va a arreglar el revoque con todo gusto, sea o no responsable, en cuanto los tiempos de la obra se lo permitan a nuestros contratistas. Si es por eso, quédese tranquilo.

Pero Nelson Jara, lejos de lucir más tranquilo, empezó a transpirar. Una gota gruesa le bajaba por la frente.

—No, no, usted no me entiende, arquitecto, a mí no me van a arreglar con un revoque fino en la pared. Yo conozco bien el código de edificación de la ciudad y en el artículo… —dijo y de inmediato hizo una pausa para ponerse los anteojos antes de leer un texto resaltado con amarillo que sacó de otra carpeta y puso frente a sus ojos más cerca de lo necesario, como si el aumento de los anteojos ya no fuera suficiente—. En el artículo 5.2.2.6 dice exactamente que "las excavaciones se ejecutarán en forma tal que quede asegurada la estabilidad de los taludes y cortes verticales", etcétera, etcétera, "excepto que un estudio de suelos indique que no es necesario hacer el apuntalamiento" —leyó, luego se corrió los anteojos sobre la frente y lo miró a los ojos, intimidante—. Sin embargo, en el informe de suelos presentado por ustedes en la Municipalidad, el ingeniero… —Buscó un instante el nombre que le faltaba en su memoria, pero como no lo encontró tuvo que ponerse los anteojos otra vez para poder leer en una fotocopia borrosa que sacó del sobre que llevaba la leyenda "Documentos varios"—. Zanotti, ingeniero Luis Zanotti... no dice en ningún momento que no hiciera falta el apuntalamiento, y ustedes, lo tengo todo fotografiado, trabajaron sin apuntalamiento y con cortes transversales más largos que los permitidos.

—Discúlpeme, Jara —lo interrumpió Pablo—, pero ¿qué tiene que ver todo esto con su grieta?

—Que mi grieta, y está muy bien que la llame así, "su grieta", porque es mía, está en mi departamento, donde yo como sentado frente a ella todos los mediodías y todas las noches, donde la mido, le tomo fotos, donde hasta le hablo, ¿puede usted creer que yo a veces le hablo a esa pared, arquitecto? —dijo y se quedó esperando una respuesta, pero como Pablo no dio ninguna siguió—: Mi grieta, le decía, apareció mientras ustedes cavaban sin apuntalamiento, ustedes la provocaron, el trabajo que ustedes hicieron la provocó. Así es la cosa.

—Yo no sería tan rotundo, hay muchos detalles técnicos —empezó a decir Pablo, pero esta vez fue Jara quien lo interrumpió.

—La falta de apuntalamiento produjo desmoronamientos y éstos a su vez provocaron movimientos en cadena que llegaron al terreno de mi edificio —dijo, y por las palabras que eligió y su entonación lo dicho sonó como si el hombre estuviera recitando un informe aprendido con esfuerzo y de memoria.

—Usted parece más experto en la materia que yo —ironizó Pablo.

—Las circunstancias me han obligado, y esas mismas circunstancias son las que lo obligan a usted a ofrecerme algo más que la insignificancia miserable de tapar la grieta con revoque fino. Va a tener que pensar en alguna otra cosa, arquitecto.

Y apenas terminó de decir "arquitecto", Jara se sacó otra vez los anteojos, se colgó en la boca su sonrisa de corbatero, y esperó. Los dos esperaron, se quedaron así, sosteniendo la mirada del otro sin decir palabra. Jara porque era Simó quien debía una propuesta, Pablo porque todavía no sabía qué decir. Entonces, ya que no se le ocurría nada mejor, Pablo Simó dijo:

—¿Me da un minuto, Jara, que voy al baño y vuelvo?

Parado frente al mingitorio, mientras miraba caer la orina sobre las bolitas de naftalina que bailaban en la loza blanca, Pablo Simó se tomó un tiempo extra para pensar en Jara. Era evidente que ese hombre, calzado con los zapatos más feos que Pablo había visto en su vida, estaba mucho más firme en su pedido que ningún otro vecino perjudicado por alguna obra que a él le hubiera tocado atender. Era evidente también que Jara no se iba a conformar con facilidad, que muchos de los datos legales los había esgrimido con la clara intención de presionar —Pablo no se atrevía todavía a pensar ciertas palabras, "extorsionar", por ejemplo— y conseguir así una respuesta favorable a su pedido. Lo que él todavía no terminaba de entender era qué quería Nelson Jara. Pablo ya le había propuesto arreglar la grieta de su pared, podía incluso ofrecerle hacerlo en el plazo más corto posible, pero Jara no había mencionado nada acerca del plazo. "Va a tener que pensar en alguna otra cosa", había dicho el hombre, y Pabló Simó recordaba esas palabras: "alguna otra cosa". Se acomodó, se subió el cierre y fue al lavatorio. Mientras se lavaba las manos el espejo le devolvió una imagen que no le gustó: no eran las ojeras que lo acompañaban desde hacía años, ni el pelo que a esa altura del mes tenía un largo que no merecía todavía ser cortado pero que desacomodaba cualquier intento de peinado prolijo; a lo mejor eran los dientes, que a pesar de la meticulosidad con la que Pablo se los cepillaba empezaban a pintarse de amarillo en el borde superior, color con el que se resignaba a tener que convivir hasta que los cambiara por una dentadura postiza. No estaba seguro de a qué echarle la culpa, pero lo que veía de él no le gustaba. Con las manos todavía húmedas enterró los dedos abiertos como garras en el jopo que le caía sobre la frente y se peinó el flequillo hacia atrás. La imagen apenas cambió. Intentó frotar con la yema del dedo índice las paletas y los incisivos, también sin resultado. Cerró la boca y se preparó para decirle algo a su propia imagen, que lo miraba desde el espejo, pero no se le ocurrió qué. La luz titiló, Pablo sospechó que la lamparita estaba floja y se estiró sobre las puntas de sus pies para ajustarla. Mientras lo hacía, se imaginó a Jara, en su departamento, haciendo equilibrio como él, pero en su caso subido a una silla, midiendo la grieta de la pared. El calor de la bombita le quemó las yemas al intentar ajustarla y Pablo puteó en voz alta. Abrió otra vez la canilla y puso los dedos debajo del chorro de agua fría. Jara, alertado por el grito, golpeó a la puerta y desde allí gritó:

—¿Está bien, arquitecto?

—Sí, sí, ya salgo —contestó él.

—¿Lo ayudo con algo?

—No, gracias —dijo Pablo.

—¿Seguro no necesita nada? —insistió el hombre.

—No —dijo otra vez Pablo con la firmeza suficiente como para que Jara no siguiera insistiendo.

Antes de cerrar la canilla se lavó la cara frotándosela más de lo necesario, como lo hacía cuando se levantaba a la mañana e intentaba despejarse y sacarse a Marta de la cabeza, antes de que Laura la descubriera dibujada en su cara. ¿De qué forma este hombre cree que puede ayudar a otro que putea en un baño?, pensó.

—¿Seguimos, arquitecto?

Pablo levantó la cabeza y, reflejado en el espejo, vio ahora a Nelson Jara asomándose por la puerta entreabierta, apoyado en el picaporte, sonriendo.

—Me seco y voy —le contestó, y aunque también le habría dicho "me podría dejar mear tranquilo", sólo sostuvo la mirada clavada en la imagen del hombre invertida sobre ese espejo hasta que Jara, aludido o no por la molestia de Pablo, cerró la puerta otra vez.

Con la cara mojada y sin decidirse todavía a secarla con el papel duro como una lija que compra Borla desde que lo conoce —"es para que el *lifting* te salga gratis", dijo un día que Marta se quejó y a ella no le causó ninguna gracia—, Pablo se preguntó si ese hombre que lo esperaba con la información que documentaba su grieta amanecería solo cada mañana, o si en cambio viviría con alguien, si estaría casado o viudo, si tendría hijos, o incluso nietos. Y aunque no conocía las respuestas concluyó que, fuera cual fuese la alternativa correcta, estuviera su vida compartida o no, para Nelson Jara no había nada más importante en el mundo que la grieta que se abrió en su pared y que Pablo, por orden de Borla, debía ignorar.

Unos minutos después Pablo Simó salió del baño y otra vez se sentó en su escritorio. Ni bien terminó de apoyar su cuerpo sobre la silla, Jara le preguntó:

—¿Dos centímetros alcanzan, arquitecto?

Pablo no entendió.

—Dos centímetros veintiocho para ser exacto —insistió Jara—. Usted preguntó hace un rato cuál era el ancho de mi grieta y yo no supe decirle. Me agarró, arquitecto, pero ahora sé, me tomé el atrevimiento de usarle el teléfono y llamar al portero de mi edificio mientras usted estaba en el baño, y él fue y midió. ¿Le alcanzan dos centímetros veintiocho, arquitecto? —repitió y se quedó esperando la respuesta de Pablo con la sonrisa clavada en la cara.

—Alcanza, sí, alcanza —contestó él, cada vez más convencido de que ese hombre podría haber sido un buen vendedor de corbatas.

—¿Seguimos, entonces, o prefiere tomarse un tiempo para evaluar bien la situación?

Pablo, dispuesto a terminar con el problema ese mismo día y seguro de que no toleraría una segunda reunión con aquel hombre, dijo:

—Mire, Jara, como le adelanté, el estudio Arquitecto Borla y Asociados no cree que la grieta que apareció en su departamento tenga necesariamente que ver con nuestro trabajo.

—Y yo digo que sí, que ustedes son los responsables —se apuró a decir Jara, pero Pablo no se dejó amedrentar por esa frase que sonó rotunda y terminante, o al menos si se amedrentó no dejó que se le notara, y respondió:

—Llevamos muchos años construyendo edificios y nunca se nos cayó una pared. El porcentaje de probabilidad de que a usted le suceda algo grave en su departamento es bajísimo o nulo.

Jara se rió, pero esta vez su risa no fue de corbatero, ni fue contenida ni estudiada, fue una risa auténtica, nerviosa, ¿enojada?; por primera vez ese hombre llamó a Pablo sólo por el apellido, sin nombre ni cargo:

—Simó, la vida de las personas como yo y como usted no es una cuestión estadística. Una primera y única vez alcanza para que la pared que sea acabe con uno. ¿O usted tiene siete vidas, como un gato? No, no se engañe, usted tampoco tiene más que una vida. Usted no entiende, porque usted no sabe de qué tengo miedo en realidad. ¿Sabe de qué? No de morir aplastado, eso no, porque eso, de la muerte le hablo, en última instancia es el final y punto, y yo no me voy a enterar. De lo que sí tengo miedo es de que se venga la pared abajo sin que yo esté ahí, ¿entiende?, hoy, esta tarde, a lo mejor en un rato, y que cuando yo vaya caminando para mi casa, unos pasos antes de llegar, mientras paso por delante de su terreno, levante la cabeza buscando mi ventana, como hago siempre desde hace años y, a la distancia, vea las sillas que rodean mi mesa, vea la mesa misma con el mantel que usé para desayunar esta mañana, y la puerta por la que entro a mi casa desde el pasillo del quinto piso, mi heladera, el calefón, mi vida, arquitecto. ¿Y sabe por qué vería yo esas cosas? Porque la pared que tapaba todo lo poco que tengo ya no está allí, protegiendo lo que es mío.

Jara repitió una vez más "lo que es mío", y luego se quedó un instante con la vista perdida sobre los papeles que había desparramado en el escritorio, hasta que con un impulso comenzó su movimiento, al principio imperceptible pero que fue ganando intensidad poco a poco, y al rato estaba una vez más balanceándose sobre la silla. Parecía que Jara podría haberse quedado así un rato largo pero, como si de repente se hubiera acordado de algo importante, se detuvo con brusquedad y buscó en una carpeta con renovado entusiasmo hasta encontrar el recorte de un diario donde en una foto que ocupaba un espacio importante se veía un edificio al que parecía que alguien le hubiera borrado, con desprolijidad o apuro, la pared medianera. Podían observarse hasta los más mínimos detalles de cada ambiente dejados al desnudo, como en una casa de muñecas. La foto llevaba el epígrafe: "Derrumbe fatal".

—¿Me entiende, arquitecto? Sí, ¿no es cierto? Claro que usted me entiende.

Jara sacó del bolsillo del pantalón un pañuelo que se pasó por la frente con dedicación, repitiendo el gesto a un lado y al otro. Luego cruzó las piernas, juntó las manos sobre su regazo, una vez más se balanceó hacia delante y hacia atrás, y esperó.

Pablo de verdad no terminaba de entender qué quería Jara, pero decidió que la única manera de saberlo era siendo lo más directo posible. Antes de hablar buscó su lápiz Caran d'Ache en el borde del escritorio y lo colocó en la diagonal de su libreta, acomodó el desorden que habían producido las carpetas de Jara

—apenas pero lo suficiente como para dejar claro que otra vez estaba a cargo del lugar que le pertenecía—, y cuando sintió que estaba listo se recostó sobre el respaldo de la silla, estiró los brazos hacia arriba primero y luego los bajó detrás de la nuca, enlazó los dedos para que le sirvieran de apoyo, miró a Jara fijo, directo a los ojos, y recién entonces dijo:

—A ver, Jara, cuénteme, ¿qué es lo que quiere?

Tal como él había imaginado Jara acusó recibo, pero con discreción, sin sorpresa, como si hubiera estado esperando desde hacía rato esa pregunta. Y también fue directo.

—Plata, arquitecto —dijo—. Dinero que pague todas las molestias que esto me ocasiona. Y las eventualidades. Porque si se tratara de hacer revoque fino en una grieta sin importancia, eso hasta podría arreglarlo yo mismo sin molestar ni a usted ni a su gente. Pero acá puede haber un problema estructural que termine afectando a otros departamentos, y que yo me calle tiene un precio, ¿o no? —preguntó, pero no esperó la respuesta—. Plata, arquitecto, eso es lo que quiero, plata.

Otra vez se midieron, otra vez no quitaron la vista uno del otro, en silencio. Pablo apenas se sonrió y asintió con la cabeza, varias veces, trasmitiéndole con ese gesto a Jara que, al fin, empezaba a entender.

—¿Y de cuánto estaríamos hablando? —preguntó Simó.

—No me venga con que usted no sabe, arquitecto. Usted es el que se dedica a estos negocios, no yo. Ponga la cifra, lo dejo a su discreción.

Pero Pablo no puso cifra ni dijo nada más por el momento. Entonces Nelson Jara empezó a guardar sus cosas en la bolsa. Y para ello se tomó todo el tiempo necesario, no con el propósito de acomodar los papeles con prolijidad sino para sostener la tensión que acababa de lograr. Recién cuando parecía confiado de que conseguiría lo que buscaba, le extendió la mano a Pablo y mientras la estrechaba dijo:

—Voy a estar esperando que me llame, arquitecto.

Y luego deslizó una tarjeta sobre el escritorio, una tarjeta blanca escrita con fibra negra y gruesa donde se leían su nombre y su número de teléfono con una caligrafía esmerada en la que algunas letras —la "t" y la "f", por ejemplo— subían o bajaban de manera exagerada con respecto a un renglón imaginario. Pablo tomó la tarjeta, la leyó y se sorprendió de que el número de teléfono de Jara coincidiera en las últimas tres cifras con el suyo: dos, ocho, dos. Eso indicaba que él y Jara —que parecían tan distintos— tenían algo en común. Aunque ese algo no fuera más que tres números. Cábala, destino, azar o coincidencia, se preguntó mientras guardaba la tarjeta en su billetera.

De pie, cargado otra vez con los papeles que confirmaban la existencia de la grieta y la validez de su reclamo, Jara se despidió diciendo:

—Confío en usted, arquitecto, confío en que usted se sabrá poner del lado que tiene que estar.

Y se fue.

6

Leonor llama al estudio Borla apenas una semana después de aquel encuentro en el café donde Pablo Simó no suele ir. El llamado lo sorprende. Para no esperar en vano, se había hecho a la idea de que aquel intercambio de números telefónicos no había sido más que un asunto de formas, apenas cortesía. Acerca de su encuentro con Leonor, Pablo le había contado a Borla lo imprescindible: que se había cruzado con la chica, que ella ahora vive por la zona, pero, y eso era lo que tenía que importarle al arquitecto, que ya no busca a Jara. Sin embargo Borla no pareció del todo convencido.

—¿No le preguntaste por qué lo buscaba?

—No hace falta, ya no lo busca.

—Si la volvés a ver, preguntale igual —insistió Borla y cerró el tema con una de sus clásicas sentencias—: Hombre prevenido vale por dos —Luego se fue, y Pablo se quedó pensando qué es ser un hombre prevenido, cuánto valdrían dos hombres, si dos hombres cualquiera valdrían lo mismo que otros dos, si él y Jara valdrían lo mismo que él y Borla, cuánto valdrían Borla y Jara juntos, y algunas otras combinaciones más.

Cuando atiende el teléfono y escucha el "hola, ¿Pablo?", no se llega a dar cuenta de quién le habla pero tiene una sensación agradable, como si esa voz de mujer evocara algún recuerdo feliz que, enterrado bajo la serie infinita de días que componen la vida de cualquier hombre, no terminara de aparecer. Una voz que salta, como quien salta de una piedra a la otra intentando no mojarse mientras cruza un arroyo por la parte más baja, con un tono que va de una vocal a otra leyendo sobre una partitura tácita. Pablo sabe de inmediato que ese "hola" entusiasta es absolutamente diferente a cualquiera de los holas de las mujeres que podrían llamarlo. Si tuviera que arriesgar dónde está la verdadera diferencia, diría: ese hola está vivo. Muy diferente al hola apagado de Laura, que preanuncia un listado de quejas y recordatorios. Muy distinto al de Marta, un hola duro, cortante, que tiene la extraña propiedad de secar la garganta no de quien lo dice sino de quien lo oye, y que la mayoría de las veces deja mudo a Pablo como si confirmara, apenas siente esa palabra de tan sólo tres letras con sonido y una muda, que Marta Horvat no está dispuesta a hablar con él más que lo imprescindible. Distinto también al hola de Francisca, aspirado, preso dentro de la boca, un hola harto de dar explicaciones.

—Hola —dice él—, ¿quién habla?

—Soy Leonor. ¿Te acordás de mí?

Sí, Pablo se acuerda: la mochila, el jean, la cola de caballo debajo de la nuca, los ojos caramelo que sonríen. Y Jara. Él le había dicho a ella que llamara si necesitaba algo y por eso es que pregunta:

—¿Qué necesitás?

—Cinco edificios —dice Leonor.

—¿Cinco edificios?

—Bueno, en realidad necesito cinco frentes de edificios.

—¿Para qué?

—Para fotografiarlos, ¿no te conté? —dice la chica.

No le había contado —él está seguro, si no lo recordaría— y a Pablo lo inquieta, y le gusta, le gusta que ella crea que hablaron más que esas pocas palabras aquel día en el café al que él nunca va. Leonor entonces le cuenta, como si estuviera segura de que lo hace por segunda vez; le dice que está terminando un curso de fotografía, ¿te acordás que te conté?, y que cuando propusieron distintos temas para el trabajo práctico final enseguida eligió "frentes de edificios" porque ella de edificios algo entiende y porque sabía que él la iba a poder ayudar.

—¿Podés? —le pregunta.

—Sí, creo que sí. ¿Qué tipo de frentes buscás?

—Los cinco que más te gusten a vos, los cinco frentes más lindos de la ciudad según el arquitecto Pablo Simó.

Él se queda pensando.

—Hola —dice ella.

—Sí, estoy acá.

—¿Cuáles serían? —insiste Leonor.

—Dejame pensar un poco más, cinco edificios que tengan suficientes méritos arquitectónicos...

—¿Méritos arquitectónicos? ¿Qué es eso?

—Valores, condiciones que los hagan sobresalir con respecto a otros edificios.

—No, no —lo interrumpe ella—, yo quiero sólo los cinco frentes de edificios que a vos más te gusten.

—¿Y qué valor es que algo le guste a alguien? —dice Pablo.

—A mí me importa que las fotos que saco le gusten a alguien —dice ella.

—Eso no les da valor. A mi mamá le gustaba la casa de una tía que vivía en San Martín y te aseguro que esa casa era un verdadero adefesio.

—Pero vos no sos tu mamá, vos sos alguien que se supone que sabe de arquitectura. Si esos edificios te gustan a vos, para mí está bien.

—Es que no debería estar bien —insiste Pablo—, no te deberías conformar con el gusto de otro. El gusto no es algo objetivo, vos nunca vas a escuchar a un crítico de arte decir que un cuadro le gusta, o a un crítico literario decir que una novela le gusta.

—Está bien, está bien, dejá, me voy a arreglar de otra manera, gracias igual —dice ella.

Pablo se inquieta, se da cuenta de que en su cobarde afán de precisión y objetividad se está perdiendo la oportunidad de volver a ver a Leonor. En realidad, ¿qué tanto importa si un edificio tiene o no valores, o cuáles son las características de su arquitectura que lo hacen destacarse en medio de una ciudad que sigue creciendo, o si ese edificio le gusta a él o no, frente a la oportunidad de volver a ver a la chica que emite una voz que salta del otro lado de la línea? La oportunidad de volver a ver a Leonor. ¿Qué clase de oportunidad sería ésa? ¿En qué está pensando? En nada que no sea hacerle a esa chica las preguntas con las que Borla insiste, se responde a sí mismo corrigiendo la ruta del pensamiento por donde se fue dejando llevar. Y esta respuesta lo tranquiliza y le permite decirle:

—Está bien, si necesitás cinco frentes de edificios yo te puedo elegir cinco frentes de edificios. No sé si los que más me gustan a mí, pero al menos frentes que valga la pena fotografiar, ¿te parece bien?

—Dale. ¿Cuáles serían, entonces?

A Pablo lo sorprende el apuro, no se imaginaba que la chica estuviera esperando esa respuesta ya. Busca en su cabeza como si ahí dentro hubiera un fichero de oficina y las hojas pasaran veloces, una a una, movidas por dedos ágiles, pero cuando esos mismos dedos se deciden, toman una de las fichas y la levantan, Pablo Simó se da cuenta de que la hoja está en blanco. No hay nada escrito allí, o lo que alguna vez estuvo escrito fue tachado, cortado o borrado. Entonces intenta una excusa:

—Me gustaría tomarme un tiempo antes de elegir, hay demasiados edificios con virtudes de distinto tipo en Buenos Aires —¿"virtudes", dijo?— y elegir sólo cinco no es tan fácil, ¿para cuándo lo necesitás?

—Mirá, tengo que salir a tomar las fotos no más tarde del próximo sábado, así me queda tiempo para armar el trabajo. Lo tengo que presentar la semana que viene. Yo creo que mientras me confirmes tus favoritos antes de ese día, es suficiente. O mejor que eso —dice Leonor y pregunta con su voz que salta de piedra en piedra—: ¿no me querés acompañar?

—¿A dónde? —le pregunta él como si fuera un tonto.

—A sacar las fotos —le dice ella y se ríe.

—No sé si voy a poder este sábado —contesta y le viene a la cabeza la imagen de Laura y él haciendo la compra quincenal en el hipermercado donde van sábado por medio—. Lo de si puedo acompañarte o no, te lo confirmo más adelante —dice y siente algo extraño al pronunciar la palabra "acompañarte"—. Llamame pasado mañana, y si no puedo ir con vos aunque sea te prometo que para ese día tengo preparadas las direcciones de los cinco edificios que necesitás.

—Dale —dice ella.

—¿Quedamos así, entonces? —pregunta él.

Un breve silencio se instala en la línea de teléfono, y eso lo inquieta.

—Hola —dice Pablo.

—Sí, sí, estoy acá —contesta Leonor—, me había quedado pensando.

—¿En qué?

—¿Te digo?

—Sí, claro.

—Pensaba, qué raro que es, ¿no?

—¿Raro qué cosa?

—Que un arquitecto no sepa de memoria cuáles son los cinco edificios de la ciudad que más le gustan. Digo, así, de una, sin tener que ponerse a pensar tanto. ¿A vos no te parece raro?

Él no responde, no sabe qué le parece, no sabe qué es raro y qué es normal. Recuerda que hace apenas unos días, exactamente el día que conoció a Leonor, se estuvo preguntando lo mismo con respecto a su hija y cuestionando lo que para Laura es o no la palabra "normal" aplicada a Francisca. Se distrae pensando en todo eso, hasta que la voz de la chica lo regresa diciendo:

—Es raro, no me digas que no. Yo pensé que te iba a llamar y que me ibas a recitar de memoria los cinco, los diez, o hasta los quince edificios que están en esa lista que todos tenemos de nuestras cosas preferidas.

—¿Todos tenemos listas de cosas preferidas?

—Sí, ¿qué?, ¿vos no?

—¿Y en tu lista qué hay?

—¿Querés que te cuente?

—Sí.

—Bueno. En el primer puesto: chocolate; en el segundo puesto: caminar sin paraguas debajo de una llovizna suave pero constante, de esas que te duelen cuando te pegan en la cara. ¿Sabés de qué llovizna te hablo, no?

—Creo que sí —le responde Pablo, pero ella igual le explica la llovizna:

—De esas que parecería que lanzan espinas mojadas desde alguna diagonal. Bueno, esa llovizna —dice y hace una pausa antes de continuar con lo que sigue—: El tercer puesto me lo reservo, y el cuarto...

—¿Por qué te reservás el tercer puesto? —la interrumpe Pablo.

—Porque recién nos conocemos —contesta la chica—. Cuando entremos en confianza te lo digo.

Y Pablo una vez más se inquieta y una vez más le gusta sentirse así, como si las agujas de la llovizna de Leonor se le clavaran en la cara. Entonces ella se ríe y es esa risa la que le permite a Pablo sacar la suya, dejar que las espinas salgan a través de contenidas carcajadas, para después poder volver a la calma. Y para cuando deja de reír Pablo Simó ya no se acuerda de preguntar por el cuarto elemento en la lista de preferencias de Leonor porque sigue pensando en el tercero.

—Bueno, te llamo pasado mañana entonces, chau —dice ella.

—Chau —dice él. Y está por cortar pero justo antes de hacerlo escucha que Leonor agrega algo más:

—De verdad que es raro, vos sos raro. Qué se podía esperar de un tipo que no usa celular, ¿no?

Una vez más, los dos se ríen.

Una vez más, Pablo no le pregunta por Nelson Jara.

7

Pablo se pasa el resto del día pensando cuáles podrían ser los edificios que terminará eligiendo para que Leonor fotografíe. Hace mucho tiempo que no mira ni piensa la ciudad de esa manera, buscando el valor que Leonor llama "lo que más te guste". Pero tampoco es que la mire buscando valores más cercanos a lo que él mismo definió como "méritos arquitectónicos". Desde hace años Pablo Simó sólo mira Buenos Aires buscando lo que Borla llama oportunidades de negocio: terrenos a un precio conveniente donde levantar edificios, remates judiciales, predios municipales que salgan a la venta y a los que se pueda acceder gracias a algún amigo o contacto, sucesiones imposibles —de esas que los herederos se quieren sacar de encima como sea y que se terminan comprando por dos pesos—, divorcios que obliguen a desprenderse de un inmueble a precios ridículos con tal de separar lo que ya no puede estar junto. Eso es lo que mira hoy, porque eso es lo que le señalaron que debe buscar. Trata de acordarse de alguna época en que miraba distinto y vuelve a sus tiempos de estudiante de la facultad, cuando parado frente a un edificio que descubría por primera vez sentía que por el cuerpo le corría un río, una sensación casi sexual, una tensión que hoy no siente con esa intensidad ni siquiera en la cama. A veces cuando piensa en Marta. ¿Cuando piensa en Marta? Muchos de los edificios que le gustaban entonces ya no están en pie. Como no está en pie la paradoja de la calle Maure y Migueletes, allí donde se levantaba una vivienda con pretensiones Le Corbusier junto a una casa con pretensiones Tudor. A esa altura Pablo no sabía si ellas honraban o no las pretensiones. "El culo y la memoria", las había bautizado el Tano Barletta, su compañero de facultad, con quien Pablo cursó de la primera a la última materia de la carrera. Y entonces discutían, porque Pablo decía que un edificio junto al otro tenía más valor, que el contraste obligaba a mirarlos, le hablaba al Tano Barletta de "contextualización" —un concepto que acababan de ver en la facultad y que seguramente estaba mal aplicado al caso— y el Tano le volvía a decir:

—Por más contextualización y vueltas que les quieras dar, son el culo y la memoria, Pablo.

Se pasaban horas caminando y discutiendo: del culo y la memoria, del crecimiento de la ciudad, de los nuevos edificios, de los viejos. Pensaban Buenos Aires mirándola. Discutían si el edificio de Obras Sanitarias de la calle Córdoba ganaba o no por la situación de espejo con la escuela que tiene enfrente. Se preguntaban por qué el Palacio de Tribunales de Talcahuano y Tucumán parecía que se te venía encima y te iba a aplastar. Analizaban con detalle y a conciencia si la ayudante de cátedra de Diseño II tenía o no las mejores tetas de la arquitectura nacional. ¿Por qué no se vieron más? ¿Habrían discutido hasta un punto sin retorno? ¿De arquitectura? No cree, pero ya no se acuerda. Por más que lo intenta no puede recordar por qué el Tano Barletta y él dejaron de verse. Habrá sido eso, nada más, que ya no se vieron, que se fueron perdiendo hasta que se borró la imagen que uno tenía del otro. ¿Por qué dejó que se borrara el mejor amigo que tuvo? Era muy gracioso el Tano Barletta, lo hacía reír mucho. Ellos, Pablo y él, también eran el culo y la memoria. Tal vez haya sido ése el motivo que los distanció: ser distintos, tanto que lo que empezó siendo una gracia se interpuso entre ellos como una pared que ya ninguno de los dos tenía la energía suficiente para tomar envión y saltar. ¿Pero no era él, Pablo Simó, quien defendía la contextualización? El Tano Barletta al lado de él, ¿no le sumaba valor a Pablo Simó, y viceversa? O habrá sido que a Laura no le caía bien su amigo. O que cuando nació Francisca a Pablo ya casi no le quedó tiempo libre. ¿La amistad sostenida por el tiempo libre? ¿Qué amistades le quedan hoy en pie? Ninguna. Tampoco quedan en pie la casa Le Corbusier ni la Tudor, les pasaron por encima, las fundieron como en la Edad de los Metales fundieron el cobre y el estaño para obtener bronce, ¿es mejor tener bronce que cobre y estaño por separado?, ¿eso marca algún adelanto histórico? Seguramente sí, Pablo no podría ni negarlo ni afirmarlo. Sin embargo sí puede afirmar que a aquella casa Le Corbusier y a aquella casa Tudor las fundieron para que sobre los dos terrenos, convertidos en uno solo, se levantara el edificio de veinte pisos, con entrada de mármol, sillones de algún estilo y seguridad las veinticuatro horas que hoy ocupa su lugar.

Deja que el Tano Barletta se borre otra vez y vuelve a Leonor y a los edificios que le debe. Para no distraerse de la tarea, no se permite pensar en que la chica lo invitó a caminar con ella el sábado. ¿Para no distraerse de la tarea? Trata de hacer memoria, trata de pensar cuáles eran sus edificios preferidos años atrás, pero ni bien los recuerda sospecha que varios de ellos deben haber envejecido de la peor manera. De algunos tiene la certeza, como del edificio de Ugarteche casi Juncal, sobre la mano par, ese que a Pablo Simó le parecía el único refugio de otra época en medio de construcciones sin edad ni historia propia y que ahora se ve raído, gastado, viejo, como si nadie hubiera tenido la fuerza necesaria para sostener lo que alguna vez había sido; como si tampoco nadie hubiera conseguido la excepción que le permitiera demolerlo para construir en altura en un terreno que no tiene los metros cuadrados suficientes.

Pablo garabatea sin mucha convicción algunas direcciones en su libreta. Mira el reloj, todavía queda media hora antes de cerrar todo y salir para su casa. A esa altura de la tarde ni Borla ni Marta pasarán ya por la oficina. Toma una hoja en blanco y con pocos trazos hace que aparezca sobre ella la torre de once pisos que mira al Norte. Si ese edificio existiera, por más que estuviera fuera de Buenos Aires, llevaría allí a Leonor y se lo mostraría. Dibuja la torre como siempre, los mismos ladrillos, las mismas ventanas, los mismos árboles. Pero esta vez, cuando termina de bosquejar ese edificio que conoce de memoria, Pablo Simó se lo queda mirando, sintiendo que, aunque nada le falta, el dibujo no está completo. Aprieta la cabeza del lápiz para que salga un poco más de mina, la mira, la mide, la hunde con el dedo y vuelve a apretar la cabeza del lápiz hasta dejar salir sólo el trozo exacto de grafito con el que le gusta trabajar; regresa su mirada al tablero y ahora, con una certeza que a él mismo lo sorprende, dibuja por primera vez un hombre junto a su edificio bosquejado durante años a repetición, para que a mano alzada se pueda apreciar la escala humana. Pablo se toma un instante para mirar la relación entre la altura del hombre y la de ese edificio, en imaginar qué tan grande es uno frente al otro, en imaginar qué sentiría ese hombre parado allí frente a esa pared de ladrillos, y por fin se pregunta lo que ahora ve de manera tan evidente: cómo pudo haber dibujado tantas veces su torre sin poner, junto a ella, un hombre.

A las seis de la tarde guarda el bosquejo, junta sus cosas siguiendo el ritual de cada día, y se va. Un rato después viajará en subte, hará dos combinaciones para llegar a Castro Barros, bajará del vagón, saldrá otra vez a la superficie y entrará en el bar de siempre a pedir el café que toma cada tarde antes de entrar a su casa. Hoy no hará más que eso. Pero mañana a la mañana, cuando haya suficiente luz natural, se ocupará de su deuda con Leonor y saldrá de su casa más temprano de lo habitual para recorrer algunas calles de Buenos Aires. Eso se promete. Y que mañana no se meterá en la boca del subte para sumergirse debajo de la ciudad que ya no mira, mañana caminará o tomará un colectivo —tiene que haber un colectivo que cruce la ciudad de su casa al trabajo en línea recta, en lugar de describir la extraña herradura por la que él viaja cada día bajo tierra—, hará un recorrido en la superficie que le permita levantar la vista y apropiarse de lo que cada calle le ofrezca. Vagará de un lado a otro como un buscador de tesoros pero sin un mapa ni coordenadas, sin referencias ni pistas, dejando que el azar también haga su trabajo, dejando que una mano invisible lo lleve por la ciudad, lo guíe resuelta a donde pueda encontrar lo que hasta hace un rato ni siquiera se había dado cuenta de que había perdido.

8

Lo primero que a Pablo Simó le llama la atención al entrar a su casa es encontrarse con Laura de buen humor. Está sentada en el living, leyendo una revista y tomando una copa de vino. ¿Desde cuándo Laura toma vino tinto a las siete de la tarde?

—Hola, amor —le dice.

Que su mujer use la palabra "amor" para nombrarlo, a Pablo le suena aún más raro que el vino.

—¿Pasó algo? —pregunta él.

—No, ¿por?

—No, no sé, por preguntar, se te ve bien, tranquila.

—Estoy más tranquila, sí —le confirma ella—. ¿Sabés?, estoy confiada en que lo peor con Francisca ya pasó. Todo siguió más o menos igual, sin novedades. Pero hay buenas señales.

—¿Cómo cuáles?

—No sé, que, como le pedimos, ella llega siempre temprano del colegio, que saluda, que en estos días no la oí quejarse de nada. Mirá, hoy a la tarde, por darte un ejemplo, hace un rato, cuando entró me saludó de una manera tan especial que me pareció que si no hubiera estado Anita con ella, hasta me habría dado un beso. Llegaron, tomaron la leche, y al rato ya estaban encerradas estudiando. Por primera vez en muchos días volví a respirar bien, Pablo, sin esa sensación tremenda de que algo malo va a suceder. Así que

decidí relajarme, obligarme a estar mejor yo también
—dice y le muestra la copa—. ¿Sabés qué quiero fes-
tejar? Que algo de lo mucho que le hablamos a Francisca por fin le entró en esa cabeza, y que uno no sem-
bró en vano.

Pablo se queda colgado en la frase "sembrar en
vano". Laura sigue hablando pero él no logra escucharla. ¿Cuándo se siembra en vano? ¿Cuando la se-
milla no va a crecer?, ¿cuando no hace falta que crezca?, ¿o cuando no hace falta que uno siembre porque
lo que tenga que nacer nacerá de todos modos? Aunque sigue sin escucharla, Pablo se da cuenta de que
Laura interrumpe su largo monólogo para ir al bar,
tomar otra copa y servirle vino.

—Festejá vos también —le propone, le extien-
de la copa y ni bien él la agarra ella la choca y brinda.

Pablo se ve obligado no sólo a brindar sino
también a beber; en el paladar siente con pesar cómo
el gusto del vino tinto le borra los restos del sabor del
café expreso que tomó cinco minutos antes y que él
tenía la ilusión de que le durara hasta la cena.

—Voy a empezar a preparar la comida —dice
Laura y se mete en la cocina con una sonrisa que Pablo hace tiempo no le veía en la cara.

Si Laura fuera otra mujer, si Pablo no la conociera tanto o si la escena que se acaba de desarrollar
frente a él perteneciera al capítulo de una de esas *sit-
com* que tanto la aburren, podría sospechar que la fe-
licidad de su mujer se debe a que Laura tiene un
amante. Pero ellos no son los actores de ninguna serie
y Pablo conoce a Laura desde hace casi treinta años,
¿cuántos días tienen treinta años? Se acerca a la ventana con la copa de vino y mira hacia fuera, la ciudad ya

se encendió y los coches van y vienen amontonados sobre la avenida. El vidrio se empaña con su respiración. Pablo hace la cuenta mentalmente, primero le agrega un cero a trescientos sesenta y cinco, y luego multiplica el tres mil seiscientos cincuenta por tres: diez mil novecientos cincuenta días al lado de Laura. Más, porque ellos se conocieron a principios de febrero, durante unas vacaciones en Villa Gesell en las que él había ido con el Tano Barletta y ella con su familia. Febrero, marzo, abril, y casi todo mayo: casi ciento veinte días más. Once mil setenta días al lado de una misma mujer. Habría que restar apenas algunos días aislados en los que por trabajo, al principio de su matrimonio, él viajaba al interior del país a definir proyectos para barrios de vivienda. Pablo conoce cada uno de los gestos de Laura, sus distintos olores, el ritmo de su respiración que se agita cuando algo la inquieta, la vena azul sobre su ojo izquierdo que se marca aun más cuando ella se enoja, sus diferentes toses, los estornudos de primavera, sus bostezos. Por eso Pablo sabe, con absoluta convicción, que la cabeza de Laura estaba, hasta hace poco, tomada en su totalidad por Francisca y sus problemas y que no había lugar para un amante. Ahora sí, ahora que Laura está tranquila, ahora que toma vino y sonríe, a lo mejor tiene espacio para pensar en un hombre, otro hombre. Pablo se aleja de la ventana y se sienta en el sillón que dejó su mujer y que aún conserva el calor de su cuerpo; mira la copa que sostiene en su mano y la mueve jugando con el vino que le queda. ¿Sería reprochable que Laura después de tantos años de casada tenga al fin, por primera vez si no lo ha tenido antes, un amante? ¿Sería reprochable que se le cruzara una persona, en un encuentro impensado, no buscado, que le hiciera sentir a Laura que algo de lo que parece perdido dentro de su cuerpo, en un lugar inabordable por la voluntad, podría aparecer otra vez? ¿Estaría mal que su mujer oyera —como él oyó esa tarde— una voz en el teléfono que le hiciera recordar los saltos que se da de una piedra a otra para cruzar un arroyo?

Pablo bebe el vino y lo siente caliente; sus manos sobre el vidrio de la copa, sosteniéndola, jugando con el líquido en imperceptibles rotaciones contrarias a las agujas del reloj deben ser las responsables. En ese preciso momento pasa Anita junto a él, se despide y, sin detenerse, sigue hacia la salida, moviéndose con su andar torpe. Pablo amaga con levantarse para saludarla, pero la chica no le da tiempo y desaparece detrás de la puerta, que cierra con un golpe seco. Él se estremece con ese sonido y se pregunta si el andar de Anita habrá sido siempre así, tosco, rudo, o si se le habrá endurecido en la adolescencia. Él no la conoció cuando era chica, apenas la conoce desde hace poco tiempo, dos años, tres a lo sumo, exactamente desde que Francisca empezó el colegio secundario. Deja la copa de vino sobre la mesa y va al cuarto de su hija. La puerta está entornada, golpea y pide permiso para entrar.

—¿Qué pasa? —pregunta Francisca.

—Nada —dice él y entra—, quería saludarte.

—Ah, hola —dice ella.

—Hola —dice él.

De todo lo que Pablo puede ver a su alrededor, nada parece indicar que en ese cuarto se ha estado estudiando con aplicación: el programa Ares desplegado en la computadora, una música saliendo de los parlantes a la que Pablo —aunque debe reconocer

que le gusta— no podría ponerle nombre, varios es-
maltes de uñas sobre el escritorio de Francisca —uno
de ellos negro—, algodones empapados en quitaes-
malte, vasos sucios, un plato con migas y restos de
algo que debe haber sido un sándwich, la ventana
abierta de par en par por donde llegan las bocinas y
demás ruidos de la calle. Ella sigue sacándose el esmalte de las uñas casi obsesivamente. Pablo se acerca a la
ventana y la cierra.

—¿Qué hacés, estás oliendo?—le pregunta su
hija.

—¿Oliendo qué? —le dice él sin entender.

—No sé, vos sabrás, cuando mamá entra acá
siempre huele.

—Yo no soy mamá —dice Pablo y suena rotundo.

Y él mismo se sorprende al oírse decir esa frase
que, aunque sabe verdadera, reniega del acuerdo táci-
to que tiene con Laura —como muchos otros matrimonios— por el que deben mostrarle a su hija que su
padre y su madre siempre piensan lo mismo. ¿Por qué
los padres tienen que mostrarles a los hijos que, en especial en lo referido a su educación, están en todo de
acuerdo? ¿Por qué no confesar las diferencias? ¿Por
qué él, ahora, en el cuarto de su hija, no se atreve a decirle a Francisca que no le preocupa tanto como le
preocupa a su madre que tome cerveza de vez en
cuando y que salga con chicos cuando tiene ganas?
Pablo no se reconoce haciéndose estas preguntas, ni se
reconoce tampoco en aquellas que se hizo hace un
rato con respecto a su mujer y un posible amante. No
se atreve a atribuirle cualquiera de sus dudas a haber
tomado vino con el estómago vacío, sería una cobar-

día. Si se dejara llevar por el vino, podría salir ahora de la habitación, buscar a Laura y decirle: ¿por qué no tenés algo con un hombre nuevo, alguien distinto al que viste los últimos once mil setenta días de tu vida?, vos te lo merecés, yo me lo merezco. Se lo diría con sinceridad, como si le hablara a un amigo, ¿acaso no lo son? Y no sentiría celos. Intenta imaginarse a su mujer en los brazos de otro y, de verdad, no siente celos. No siente nada. O sí, ¿qué? ¿Alivio? Cambia a su mujer por Marta en esos brazos y entonces se excita. Cambia a Marta por Leonor y siente rabia, sería capaz de ir y arrancarla del abrazo de otro. ¿Por qué, si apenas la conoce?, ¿por qué, si esa chica no tiene ni las piernas de Laura ni las tetas de Marta?

—¿Necesitás algo más? —le pregunta Francisca mientras junta los algodones manchados de esmalte viejo.

—No, no —le contesta él y sabe que ya es momento de irse pero antes de salir le pregunta a Francisca—: ¿Estás bien?

—Yo sí —le dice ella.

—¿Vos sí? —pregunta él.

—Yo sí —repite su hija.

Y ya no le quedan dudas, porque al aclarar "yo sí", al no elegir decir solamente "sí", su hija está también diciendo que hay alguien, otro, que no lo está. Ella sí está bien. Ella. Pablo se queda esperando pero la chica no le pregunta cómo está él, ni dice nada más. Entonces decide irse, da unos pasos, toma el picaporte y lo gira; sin embargo, antes de abrir la puerta y dejar el cuarto se arrepiente, vuelve y le pregunta:

—Decime una cosa, ¿vos cómo me ves a mí?

—¿Qué? —le pregunta ella.

—No sé, digo, me ves bien, me ves mal, me ves viejo, o gordo, o pasado de moda. ¿Cómo me ves, Francisca?

—Yo no te veo, papá, vos sos mi papá.

—¿Y eso qué tiene que ver?

—Que no te veo, que no te miro.

—Mirame, entonces, y decime.

—¿Me estás hablando en serio?

—Muy en serio.

La chica, entonces, se lo queda mirando; por un momento hasta parece preocupada por él, como si pensara que su padre está mal o enfermo. Pero con la poca constancia que les duran ciertas preocupaciones a los adolescentes, Francisca vuelve a lo suyo sin decir nada y se sumerge en la computadora. Él insiste:

—Mirame y decime, por favor.

Ella levanta la cabeza:

—¿Estás seguro de que querés saber?

—Sí —dice él.

—Patético, papá.

Y apenas termina de decir "patético", Francisca le da otra vez la espalda y se pone a buscar una nueva canción en el listado interminable de temas musicales que aparece frente a ella en la pantalla de su computadora.

9

Pablo se va a dormir esa noche pensando en el adjetivo que usó su hija para describirlo. Ante su estúpida pregunta, ella podría haber dicho "viejo", o "arruinado", o simplemente "mal". Pero Francisca eligió decir "patético". ¿Qué esperaba que dijera su hija? ¿Cómo esperaba que lo viera? ¿Se lo estaba preguntando realmente a ella? ¿A quién si no? Da vueltas en la cama. Laura duerme desde hace un rato junto a él, en el lado derecho, como desde hace tantos años. Quisiera recordar qué fue lo que definió que él se acostara del lado izquierdo y ella del derecho pero no lo recuerda, cómo decidieron que la cama que habrían de compartir se dividiría de esa forma. ¿Lo decidieron?, ¿o fue simplemente así, una primera noche, una segunda, y luego se instaló la costumbre como tantas otras cosas dentro de su matrimonio? Si se despertara, ¿se atrevería a preguntarle a Laura cómo lo ve? No, no se atrevería, no va a preguntárselo. ¿Y cómo ve él a Laura? La mira, pero no se responde. Los hombres y mujeres que llevan juntos más de once mil setenta días no se preguntan uno al otro cómo se ven, se dice a sí mismo, y gira en la cama hacia el otro lado. Se acurruca y en ese movimiento su cuerpo roza la espalda de Laura, pero ella, dormida, no lo nota. Hoy sí sería una noche para despertarla y tener sexo: Laura tomó vino, se fue a dormir contenta, seguramente no lo rechazaría y hasta lo haría con gusto. La última vez que la despertó metiéndole la mano entre las piernas ella le dijo: ¿es necesario?, se tapó con la almohada y siguió durmiendo. Pero ese día estaba de mal humor; hoy sería distinto, la conoce. Sin embargo es él quien esta noche no se siente con ganas de tener sexo con Laura; debería tenerlo, piensa. ¿Debería tenerlo? Calcula que hace más de una semana que no lo hacen, casi diez días. Pero no puede engañarse: aunque lo acaricie, aunque suba y baje por él con su mano tibia, su sexo está muerto y parece querer seguir así. ¿Lo habrá matado la humillación por el adjetivo con el que lo describió Francisca? Patético. Golpes secos y cortos del otro lado de la ventana lo distraen, como balas que golpean contra el vidrio sin romperlo. Pablo sabe que empezó a llover. Se pregunta si a esa hora Leonor estará caminando por la calle disfrutando del segundo puesto en la lista de sus cosas preferidas: agujas mojadas. O si en cambio la chica estará ya bajo techo disfrutando en cambio del tercer puesto de sus predilecciones, y mientras piensa en ella se estira inquieto debajo de las sábanas. Esta vez Laura se acomoda dormida y adquiere una posición extraña en la que su respiración produce un leve ronquido. Pablo se da vuelta y la empuja como sabe que tiene que hacer si quiere que ella deje de roncar: un toque corto pero intenso y preciso que no llegue a despertar a su mujer pero que la obligue a acomodarse otra vez y gracias a eso ya no ronque. Si a causa de estos movimientos Laura se despertara él no cometería la estupidez de preguntarle cómo lo ve. Sin embargo, y a pesar de no tener ganas, intentaría hacer el amor con ella. Eso lo dejaría más tranquilo y lo ayudaría a dormir. Pero Laura no se despierta, Laura no hace lo que él quiere que haga, no va a donde él quiere llevarla. Pablo Simó la mira y se pregunta dónde ella y él, hoy, después de tantos años, podrían encontrarse. Encontrarse con alguien que estuvo junto a uno once mil setenta días. Está seguro de que tendría un mejor encuentro con Laura en el sexo que filosofando acerca de cómo se ven uno al otro, o de lo que ellos son o de lo que dejaron de ser. ¿Con quién se habla a los cuarenta y cinco años de cómo se ve uno? ¿A quién se le pregunta? ¿Cómo le gustaría a Pablo Simó que lo vieran? ¿Cómo se ve él mismo? Recuerda que unas horas antes Leonor dijo, de alguna manera, que él era un tipo "raro", y esa palabra que podría prestarse a equívocos no le sonó nada mal. Como tampoco le suena mal ahora que la trae otra vez a su memoria. Se pone a pensar qué quiso decir la chica y Pablo se ilusiona con que "raro" podría significar para ella "diferente", o "exótico", o "distinto", pero, en cualquier caso, alguien a quien vale la pena conocer. Alguien especial, piensa y gira otra vez hacia el lado de la ventana. La lluvia se oye más intensa ahora, las gotas golpean con fuerza y son mucho más que agujas mojadas; un relámpago ilumina un instante la habitación oscura y luego se apaga, Pablo se queda quieto esperando el trueno que llegará irremediablemente unos segundos después de esa luz. No puede no llegar, eso no está en duda, sólo se trata del tiempo que le toma a cada cosa el viaje. Nada tiene la certeza de un trueno, piensa. Ser o no alguien especial para Leonor, por ejemplo; no un "especimen" como lo había llamado en algunas oportunidades Marta Horvat:

—Simó, ¿qué clase de especimen sos?

Y luego de decirlo ella se reía con esos dientes blancos y parejos con los que tantas veces él fantaseó que lo mordería. Marta lo podía llamar así por motivos varios: porque él prefería dibujar a dirigir obras, porque no conocía los restaurantes de moda, porque veraneaba todos los años en Valeria del Mar o porque no le interesaba suscribirse a la revista *Summa*. Pablo lo aceptaba, y más de una vez hasta la provocaba diciendo algo que sabía que lo pondría en la categoría "especimen", porque era una de las pocas formas de conseguir que, por un rato, Marta Horvat se fijara en él y se rieran juntos.

"Raro", "especimen", "patético", abrazado a la almohada y con la vista fija en la ventana Pablo ordena los adjetivos en ese orden de degradación. Sólo recuerda un adjetivo peor que patético, aplicado a su persona: "canalla". Y ese adjetivo, que iría a la cabeza de todos, no se lo puso nadie, sino él mismo. Canalla. No quiere pensar en esa palabra porque sin remedio lo llevará a Jara, y Jara se unirá a Francisca, y Jara y Francisca, sumados al ronquido de Laura que volvió a aparecer detrás de su último movimiento, harán que dormir sea para Pablo Simó un deseo inalcanzable.

Intenta entonces pensar en Marta, en los dientes de Marta, en el lunar de la pierna de Marta; no funciona. Luego en los edificios para Leonor. Otra vez en Marta. Pero son las dos de la mañana y Jara gana por goleada. Acomoda las almohadas sobre el respaldo de la cama y se incorpora. La lluvia no para aunque ya no aparecen relámpagos y luego truenos que lo ayuden a jugar a las certezas. Necesitaría levantarse de esa cama, salir, caminar un poco, sentarse en un café a hablar con alguien de Nelson Jara. ¿Por qué otra vez está ese hombre en medio de su vida? ¿Por qué después de tres años? Si no hubiera aparecido

Leonor, ¿hoy Jara seguiría siendo un recuerdo que cada tanto pasa y molesta pero sigue su camino? Mira a Laura durmiendo a su lado y sabe que, si ya no lo hizo, nunca hablará con ella de ese hombre. Con Marta habló, hace tiempo, pero eso ya no cuenta, porque en esa charla sellaron el pacto de silencio que no puede romper, y porque Marta se pone peor que él cuando alguien menciona a Jara. Se pregunta si llegará a contarle alguna vez a Leonor lo que sabe de ese hombre y también lo que él, Pablo Simó, hizo. Lo que él hizo no fue sólo meterlo en un pozo y sepultarlo; enterrar a Jara fue apenas la consecuencia inevitable de una sucesión de hechos anteriores —tal vez menores pero imprescindibles— en el camino hacia esa noche. ¿Podrá hablar con alguien alguna vez de cada uno de los detalles que rodearon la muerte de Jara y terminaron convirtiéndolo en un canalla? Hoy no haría lo mismo, lo sabe, se lo promete en esta noche en la que no puede dormir y en la que sólo se escucha el agua pegando como balas en el vidrio de su ventana, Pablo Simó jura que no volvería a hacerlo. Se dice que hoy se plantaría de otra forma frente a Borla, que no saldría corriendo ante los llantos de Marta, que no limpiaría la escena ni callaría. ¿Qué cambió desde entonces? Nada en hechos concretos; lo que pasó, pasó. Pero hoy sabe además qué se siente al ser un canalla. ¿Lo fue siempre? ¿Desde que nació estaba condenado a ser algún día un canalla? ¿Se puede dejar de ser canalla después de haberlo sido alguna vez? Se pregunta si serlo tendrá su origen en algo que está latente, como una enfermedad marcada en los genes esperando el hecho fortuito que la dispare. Si fuese así, la enfermedad habría estado agazapada mientras él se movía por la vida sin saber de ella, para en algún momento, por lo que fuese, presentarse frente a él, innegable, brutal, como lo hizo poco después de que Nelson Jara y él se reunieran por primera vez en el estudio para hablar de la grieta.

Pablo Simó había esperado toda la tarde a que Borla llegara, lo esperó incluso más allá de su horario de salida, y cuando llegó le informó qué era lo que ese hombre quería: plata. El arquitecto fue tan contundente como Jara: plata ni muerto.

—Yo no pienso darle a ese viejo ni una moneda fuera de circulación —agregó en cuanto pudo recuperar un poco la calma después del enojo que le provocó la noticia—. ¿Por qué se la tendría que dar? Decile que yo ya colaboro a fin de año con la Casa Cuna.

—La grieta parece importante —le informó Pablo.

—Pero no se le va a venir la casa abajo. Si vos sabés que yo le voy a arreglar la pared… pero conmigo ese viejo no va a hacer negocio. No me gustan los vivillos.

Y luego, mientras Pablo aún seguía colgado en la palabra "vivillos", Borla lo instruyó con precisas indicaciones acerca de cuáles serían, de ahí en adelante, los pasos a seguir: mantener a Jara calmo, decirle que a la brevedad iba a recibir una respuesta y, mientras tanto, que Marta avanzara con el hormigón.

—Acá el único riesgo es que Jara vaya a la Municipalidad y presione a algún gil con la intención de parar la obra —le advirtió Borla—, lo que de última también se arregla, vos sabés, pero cuesta plata, y te confieso: yo estoy harto de que me metan la mano en el bolsillo, Pablo —y mientras lo decía se metió las manos en los bolsillos del pantalón como si hubiera allí algo que proteger—. Tenelo quieto hasta que cimentemos; una vez que tapemos el pozo y hagamos la losa, nadie con dos dedos de frente puede tomarle al viejo esa denuncia.

La parte que le tocaba a Marta era la más sencilla: apurar la obra. Y para lograrlo lo que se necesitaba no era ninguna ciencia infusa: llamar a los contratistas, obligarlos a trabajar horas extras, poner más gente en la cuadrilla, controlar que todo el mundo trabajara al máximo rendimiento, y rogar que no lloviera como sí llueve esa noche, tres años después, sobre Buenos Aires. Marta, aquel día, consultó en la computadora el pronóstico del tiempo y comprobó que no se preveían lluvias en toda la semana, por lo que sin más trámite se comprometió a que en cuatro días la losa estaría lista. La parte que le tocaba a Pablo Simó era bastante más farragosa. ¿Cómo se mantiene calmo a un "vivillo" como Nelson Jara? Por lo pronto Pablo intentó la más cobarde de las estrategias: evitar cruzárselo hasta que el hormigón estuviera listo. Pero para que Jara no contraatacara apareciéndose de sorpresa como le gustaba hacerlo, le mandó al día siguiente una nota a su domicilio que decía:

Sr. Jara: Nos estamos ocupando de su tema. En unos días va a tener nuestra respuesta que esperamos también sea satisfactoria para usted.
Pablo Simó, del estudio
Arquitecto Borla y Asociados.

Pablo Simó especuló con que esas breves líneas alcanzarían para que Jara no se fastidiara por la falta de respuesta inmediata y decidiera hacer la denuncia en la Municipalidad, pero bien sabía que no serían suficiente freno como para mantenerlo cruzado de brazos por mucho tiempo. No a Jara. Querría ver, preguntar, apurar, insistir, negociar. Pablo se sentía incapaz de seguir el juego que había planteado Borla y recibir a ese hombre cara a cara, sabiendo que en el momento final Jara se daría cuenta, sin lugar a dudas, de que él lo había engañado. Por eso cuando sonaba el teléfono Pablo dejaba que la llamada se desviara al contestador automático y sólo atendía una vez que la persona se identificaba y él podía comprobar que quien llamaba no era Nelson Jara. El hombre dejó dos mensajes que nadie contestó; Pablo supuso además que otros dos o tres llamados en los que cortaron sin hablar también debían ser de Jara. Y aunque a Pablo Simó le era imposible impedirle que cayera por la oficina en cualquier momento, cambiar los horarios de entrada y de salida —más allá del desbarajuste que eso le provocaba en su día sostenido a fuerza de metódicos rituales cotidianos— le dio cierta garantía de que al menos no se encontraría con Jara acechando en los pasillos.

Pero a pesar de los esfuerzos de Pablo por no cruzarse con ese hombre, la tarde del día en que le envió la primera nota oyó que alguien, con una voz que podría haber sido la de Jara, le gritaba: ¡Simó!, cuando se metía en la boca del subte. Entonces él apuró el paso para perderse entre la gente sin dar vuelta la cabeza y comprobar si Jara estaba o no allí. Otro día le pareció verlo en medio de un grupo de personas que salían apuradas de la escalera al andén de la estación, justo cuando el vagón donde Pablo viajaba cerraba sus puertas y el subte se ponía en movimiento, pero tampoco podría asegurarlo. El verdadero encuentro fue dos días después, al regresar del almuerzo, cuando Pablo vio a Jara parado en la puerta del edificio donde estaba el estudio, con su bolsa de plástico llena de carpetas apoyada en el piso y apretada entre sus piernas, moviéndose hacia delante y hacia atrás como le había visto hacerlo unos días atrás sentado frente a él. Lo observó un rato, a riesgo de ser descubierto, desde la esquina contraria a aquella por donde Jara, en vano, esperaba su llegada: vio cómo ese hombre controlaba su reloj a intervalos de tiempo infinitamente pequeños, vio cómo tocaba una vez más el portero y esperaba sin resultado ser atendido, vio cómo se sacaba con los dientes los pellejos de los costados de las uñas, cómo con una sola mano se tomaba la cara y se frotaba la quijada con preocupación; adivinó también su ceño fruncido, el dolor en la cintura después de tanto tiempo parado allí, la transpiración de Jara, la sangre en los pellejos arrancados, su ansiedad. Pablo estuvo tentado de acercarse, detenerse frente a él y decirle:

—No pierdas más el tiempo, Jara —incluso así, tuteándolo por primera vez.

Sentía que podía decírselo de ese modo, sin vueltas, como se lo podría decir a un amigo, a un compañero del colegio, o a alguien con quien se juega al fútbol todos los fines de semana. Un par, así lo pensó, con esa palabra: par. ¿Par? Fue en ese preciso momento en el que Jara lo esperaba en la puerta del estudio mientras él lo espiaba desde la otra esquina, cuando Pablo Simó sintió que él y Nelson Jara eran dos individuos de una especie particular a la que no pertenecían todos, dos que venían del mismo lugar y se dirigían a un mismo sitio. Que si cada hombre tiene una etiqueta en alguna parte de su cuerpo que definirá lo que será y lo que no será nunca, ellos, Jara y él, llevaban colgando la misma. Y pensar eso, lejos de molestarlo, lejos de mostrarle algo que no quería ver, lo alivió, lo hizo sentir que no estaba solo. Él no se consideró nunca par de Borla ni de Marta aunque fueran colegas, aunque compartieran una oficina desde hacía veinte años. Tampoco par de Laura; siempre tuvo la sensación de que su mujer aportó más energía, voluntad y esfuerzo que él a la sociedad conyugal, y esa diferencia de aportes, justo era reconocerlo, desequilibraba la balanza a favor de ella. En cambio sí, extrañamente, se sentía ahora par de ese hombre a quien había conocido hacía apenas unos días, ese hombre que, parado sobre los zapatos más feos que él hubiera visto nunca, movía su cuerpo hacia adelante y hacia atrás como si se acunara, ese hombre que apretaba entre sus piernas una bolsa de plástico esperando algo que no llegaría, mientras él lo espiaba, cobarde, desde la esquina. Pablo supo en ese lugar y en ese momento que Jara y él eran, en algún sentido que todavía no podía definir, la misma cosa.

Sin embargo, a pesar de esta revelación —o a causa de ella—, después de ver con claridad a qué lugar pertenecía cada quien, Pablo Simó miró a Nelson Jara una vez más, como si se tratara de una despedida; luego dio media vuelta y se fue, apurado, casi corriendo, sin destino fijo. Estuvo un largo rato dando vueltas imprecisas y repetidas por la ciudad y, cuando ya se creía perdido, terminó con alguna excusa en una inmobiliaria amiga, donde decidió pasar el resto de la tarde. Fue allí mismo que Pablo escribió la segunda nota:

> *Sr. Jara: Su tema ya está casi definido, en un día o dos más tendrá noticias nuestras. Quédese tranquilo, nos comunicamos con usted sin falta.*
> *Pablo Simó, del estudio*
> *Arquitecto Borla y Asociados.*

Luego le habló a Marta, confirmó que en menos de cuarenta y ocho horas el hormigón estaría llenando las bases del edificio, y recién entonces llamó a un cadete, le entregó la nota para que se la llevara a Jara y supo, con la certeza de quien espera el trueno después de un relámpago, que él, Pablo Simó, era un verdadero canalla.

Repite la palabra canalla, como si fuera un mantra, o como quien cuenta ovejas para dormir. Y se duerme. Pero sin embargo, ayudado por ese extraño olvido que a veces le debemos al misterio de la noche, al poco rato Pablo se despierta pensando en Leonor. O mejor dicho pensando en los edificios que se comprometió a elegir para ella. Aun en medio de la noche, en el lado izquierdo de la cama, escuchando todavía la lluvia detrás de la ventana, siente que no hace falta que busque en revistas de arquitectura, ni que revise esos viejos apuntes y cuadernos de sus épocas de facultad —que todavía guarda en una caja en la baulera a pesar de las quejas de Laura—, tampoco es necesario que entre en Internet, ni mucho menos que salga a buscar edificios a ciegas por la ciudad. No sabe si soñó con Leonor porque no se acuerda, no cree, pero lo cierto es que cuando amanece, y habiendo dormido poco más de tres horas, Pablo abre los ojos antes de que suene el despertador y, como si se tratara de los créditos finales de una película, empieza a desfilar delante de él un listado interminable de edificios de Buenos Aires que vale la pena ver. Se apura a memorizarlos para que ninguno se le borre de la cabeza, los repite una y otra vez, recita en voz baja sus nombres y luego salta de la cama para buscar su libreta donde los apunta uno a uno. Son demasiados, lo confirma mientras escribe, no puede darle tantas alternativas a la chica. Leonor sólo pidió cinco. Tacha el Cavanagh, el Diario Crítica, el edificio de Obras Sanitarias de la avenida Córdoba, el Banco Nación, y el Olivetti frente a la plaza San Martín; no es que no se merezcan estar en la lista, pero de alguna manera son edificios emblemáticos de la arquitectura de la ciudad, edificios que cualquiera podría elegir y él no quiere ser cualquiera, él quiere sorprender a Leonor con opciones de las que ella todavía no haya oído hablar. "Los edificios de Buenos Aires que más le gustan al arquitecto Pablo Simó", como ella misma los bautizó. Subraya, en cambio, el edificio del arquitecto Palanti de Rivadavia al 1900, el frente *art nouveau* —que tanto obsesionaba al Tano Barletta— en Rivadavia al 2000, ¿o era al 2100?, el edificio de Colombo en Rivadavia al 3200 y los dos del mismo arquitecto en Hipólito Yrigoyen al 2500, uno frente al otro, ¿uno frente al otro exactamente? Tendría que ir a verificarlo esa mañana de camino a la oficina, son apenas unas cuadras desde su casa y hace mucho tiempo que no los mira, ni siquiera se acuerda cuánto. Agrega a la lista el conjunto de viviendas del Estudio Solsona de la calle La Rioja, el edificio racionalista de Alsina y Entre Ríos, ¿cruzando Entre Ríos o antes de cruzar Entre Ríos?, el edificio *liberty* de Paraguay al 1300 —que marca con un gran asterisco porque sospecha que será el que más le va a gustar a Leonor—, las mejores barandas en balcones de Buenos Aires en Riobamba y Arenales, el prolijo edificio de ventanas pequeñas en Beruti al 3800. Los cuenta: uno, dos, tres, más dos cinco, seis, siete, ocho, las barandas nueve, diez. Tiene que volver a tachar, no puede darle a Leonor una lista de diez edificios a menos que quiera pasar con ella toda la tarde del sábado. ¿La acompañará el sábado? No sabe todavía. La tarde del sábado. De todos modos tacha. Deja el Palanti, el *art noveau*, hace trampas y cuenta los tres de Colombo como si fueran uno solo, deja el *liberty* y las barandas: cinco. Cinco con trampa pero está bien, supone. Marca una raya debajo de la lista, arranca la hoja de su libreta, la guarda debajo de la almohada y entonces sí se duerme un rato más. Media hora después suena el despertador, Laura ya no está en la cama, se está bañando. Pablo busca la lista otra vez y trabaja sobre ella.

—¿Qué hacés? —le pregunta Laura que acaba de salir del baño envuelta en una toalla.

—Reviso —le dice él.

—¿Qué cosa?

—Nada importante, Laura, anoche anoté unos temas de trabajo, y estoy tachando algo que no va.

La explicación parece suficiente porque a Laura, como si nada hubiera preguntado, ya no le interesa qué hace Pablo sino que su preocupación parece ser ahora sacar del placar la ropa que va a ponerse y dejarla sobre la cama. Pablo le dice sin mirarla:

—A lo mejor este sábado vas a tener que ir sola al supermercado, Borla me encargó que vea unas cosas.

—Ah, qué lástima, yo pensaba que podíamos ir al cine después de las compras, hace mucho que no vamos.

Pablo se pregunta por qué si hace mucho que no van al cine a su mujer se le tiene que ocurrir justamente ahora proponerle ir el próximo sábado.

—¿Vas a llegar para ir al cine? —le pregunta Laura mientras se seca el pelo con una toalla de mano.

—No estoy seguro —miente él— ¿Te lo puedo confirmar esta noche?

—Dale, confirmámelo después, no hay apuro.

Ella se peina y recién cuando termina de desenredarse el pelo suelta la toalla que le rodea el cuerpo y se termina de secar frente a él: primero sube una pierna sobre la cama y se seca la pantorrilla, el muslo, la entrepierna, luego sube la otra pierna y hace lo mismo. Pablo la mira y le dice:

—Ayer roncabas.

Ella deja la toalla en la posición en donde estaba y casi sin moverse le contesta:

—Lindo comentario el tuyo, sobre todo oportuno, ¿no? ¿No se te ocurre decirme ninguna otra cosa al verme desnuda frente a vos?

—No me di cuenta de que estabas desnuda, Laura —se excusa él.

—Ah, bueno, eso es todavía peor. ¿Qué mirabas entonces?, ¿la toalla? No te das cuenta de cuando me desnudo pero te das cuenta de cuando ronco.

Sin esperar una respuesta de Pablo, Laura empieza a vestirse.

—No sé, Laura —dice él—, estaba mirando para otro lado, o estaba mirando sin ver. Tampoco sé por qué me acordé justo ahora de que anoche roncabas. No le busquemos otras interpretaciones, es eso nada más. Roncar no es una cuestión de Estado, yo también debo roncar, ¿o no?

Su mujer no contesta, ni siquiera lo mira, entonces Pablo temiendo que la cosa se ponga peor dice:

—Estoy cansado, Laura, dormí mal.

A ella su cansancio no parece importarle, se calza los zapatos, revisa que esté todo en su cartera, se pone un blazer y se dispone a salir, pero antes de hacerlo dice:

—Muy poco galante de tu parte, Pablo. Igual no te preocupes, yo te conozco, no necesito que me seduzcas, pero menos mal que a esta altura de la vida no tenés que salir a ganar minas por ahí porque no sabrías por dónde empezar.

Laura se va, él se queda solo en la habitación. Tirada en el piso, a sus pies, quedó la toalla mojada que acaba de secar el cuerpo de Laura. Pablo la levanta, siente su humedad, la huele. Luego gira y se mira al espejo: todavía en calzoncillos y con la remera que usa para dormir, sosteniendo en una mano el papel donde garabateó las direcciones de los edificios que piensa ir a ver el sábado con una chica que apenas conoce y en la otra mano la toalla con la que se acaba de secar su mujer, sin bañarse, con el pelo revuelto de la noche anterior, la barba crecida y el sexo —que unas horas atrás supuso muerto— apenas levantado, amagando salir por la bragueta.

Se mira así, sin moverse, reflejado en el espejo. No le pone nombre a lo que ve, no busca el adjetivo preciso, pero sabe con exactitud cómo lo llamaría su mujer, si lo mirara.

10

Esa tarde Pablo se corta el pelo. No va a la peluquería de siempre, busca otra cerca del estudio y encuentra una unisex donde le aseguran que la mujer de cabello reseco y teñido de blanco opaco que lo atenderá es especialista en corte masculino. Lo sientan junto a una clienta que tiene el pelo repartido en mechones, cada uno apretado con papel de color metalizado verde, naranja o amarillo, alternados en un orden que Pablo supone podría tener algún sentido estético, pero que él ni siquiera intentar decodificar. Esa mujer huele mal, él supone que el mal olor viene de su cabeza; ella lee una revista y no parece ni sorprendida ni inquieta por oler como huele ni porque un hombre la vea con esa imagen extravagante y que tan poco la favorece. La peluquera le propone a Pablo un cambio, le pide permiso para, aunque sea, desmecharle el cabello sobre la frente y en la nuca; Pablo acepta, pero en cuanto la mujer hace la primera tijeretada él se arrepiente y le dice:

—Mejor cortame como lo tengo pero un poco más moderno.

—Por eso, más moderno —le dice la peluquera y sigue metiendo la tijera según a ella le parece.

A los diez minutos el corte está listo, pero antes de secarle el pelo la mujer clava sus dedos abiertos como garras en la cabeza de Pablo y le hace un masaje capilar. Por el espejo él ve cómo ella entrecierra los ojos de distintas maneras de acuerdo con la intensidad con que le aprieta el cuero cabelludo. Oprime y relaja, oprime y relaja, y luego hace movimientos rápidos y circulares trasladando las manos simétricamente a ambos lados. La mujer deja un instante la cabeza de Pablo y lo interroga con la mirada a través del espejo; él siente que algo allá arriba, ¿el cuero cabelludo?, le late. La peluquera repite una vez más todo el proceso sin que Pablo sepa cómo oponerse.

—¿Y? Rico, ¿no? —le pregunta ella.

—Sí —le responde Pablo con un tono entrecortado, que vibra al compás del movimiento que la mujer provoca en su cabeza.

El corte y peinado termina con masajes circulares sobre las sienes.

—Gracias —le dice la mujer como si el masaje se lo hubiera dado Pablo a ella.

Luego le da un golpe de secador, desparrama por su cabeza un aceite que asegura le dará un brillo más joven a las puntas del pelo y, finalmente, le ofrece hacerle una manicura que Pablo rechaza sin explicaciones:

—No, gracias.

Cuando ya pagó la cuenta es él quien decide agregar algo más:

—¿Venden el aceite que pone las puntas jóvenes? —pregunta, y se lleva un pote.

De la peluquería va directo a comprarse ropa. Quiere un jean y un suéter nuevo. ¿Cuánto hace que no se compra él mismo algo para ponerse? Todo lo que tuvo los últimos años se lo compró Laura: medias, camisas, pantalones, calzoncillos, remeras, suéteres, mallas, hasta el traje que cuelga casi sin uso en el placar de su dormitorio. Laura se empecinó en que Pablo tenía que comprarse un traje para el cumpleaños de quince de la hija de una prima que no veían hace años y que no volverán a ver hasta que la chica se case. Pablo Simó sólo se ocupa de comprarse los zapatos porque, aunque también quisiera hacerlo ella misma, Laura no termina de acertar con la horma justa. Como si los pies de Pablo fueran la única parte del cuerpo que él, después de tantos años de matrimonio, reservara para sí mismo.

La vendedora empieza por mostrarle suéteres. Pablo dice:

—Que no sean en la gama del gris ni del beige, ni azules.

Podría jurar que en su placar no hay ni nunca hubo suéteres de otros tonos. El beige es para Pablo Simó el color "consorcio acuerda"; cuando existen tantas opiniones como cantidad de departamentos acerca de qué color hay que pintar un palier, se termina indefectiblemente en alguna de las distintas versiones de beige: oscuro, claro, té con leche, café con leche, mate cocido. Una vez una clienta le aseguró que existía un tono llamado "beige del Mediterráneo" que Pablo nunca pudo encontrar en ningún catálogo de ninguna pinturería de Buenos Aires. Se acuerda de que Borla le dijo:

—Hacele una muestra de beige caquita que seguro va a andar.

Y Pablo no se acuerda de si anduvo, pero sí que cada vez que recibe una nueva carta de colores busca entre los beiges para comprobar si alguien se atrevió a llamar al caquita por su nombre. Entonces el beige no, porque es de consorcio, ni los azules ni grises, que

Pablo atribuye a concentraciones de personas: la masa de gente que baja de un tren o de un subte en una hora pico, la que avanza en una marcha de protesta; incluso en la gente que puebla las tribunas de un partido de fútbol —si pudiera el ojo despajarla de banderas y camisetas— predominarían azules y grises. Por eso Pablo le repite ahora a la vendedora, mientras ella busca en un estante su talle en cada uno de los distintos modelos disponibles:

—Ni beige, ni gris, ni azul.

—Sí, sí —le dice ella y se le acerca con una pila de prendas.

Pablo descarta un suéter rosa, uno lila y uno rojo —sin quejarse, fue él quien pidió colores diferentes— y se lleva al probador uno amarillo, que sin ser "patito" tampoco es estridente, con cierre adelante en lugar de botones, y otro verde agua, de una lana sin pelo, que de sólo tocarlo entiende que debe salir una fortuna. ¿Desde cuándo sabe él tanto de colores cuando no son para pintar una pared? Si hasta de chico creían que era daltónico porque pintaba todo de marrón por no sacarles punta a los otros lápices.

—El cárdigan se está usando mucho —le dice la vendedora, que de esa manera aprueba su decisión.

Y le propone que vaya viendo cómo le quedan los suéteres que ya eligió mientras ella le busca dos o tres modelos de jean "como para usted". El "como para usted" lo pone en alerta acerca de cómo lo ve esa chica —¿viejo, pasado de moda, patético?— pero innecesariamente, ya que ella trae apenas unos minutos más tarde tres modelos, uno clásico pero también otros dos llenos de recortes y bolsillos que Pablo rechaza sin probárselos. Se prueba el primero y sabe que, aunque se trate de un corte clásico, Laura desaprobará su elección ya que el jean que se calza frente al espejo es de color índigo casi negro y su mujer sostiene —contrariamente a lo que asegura Marta Horvat, con quien Laura lo discutió en una cena de fin de año de la oficina— que en las obras el polvo que se levanta hasta el día del hormigón se nota mucho más sobre fondo oscuro que sobre fondo claro. Cuando lo vea, Laura dirá algo al respecto, aunque él ya no vaya más a las obras antes del hormigón. No hace falta, no es su función; él es proyectista, dibujante, administrativo y encargado de cualquier tarea del estudio no asignada con claridad a otro de sus miembros. Por eso evita el hormigón sin necesidad de dar grandes explicaciones; como también evita, cuando se da cuenta de antemano, cualquier otra situación que pudiera hacerlo regresar —como lo hace regresar ahora un simple jean oscuro— a la zapata abierta en la tierra antes de ser cimentada, donde quedó atrapado el cuerpo de Jara, para siempre.

A pesar de que en aquella época tampoco era su función hacerlo ni nadie se lo había pedido, la tarde anterior a la muerte de Jara Pablo Simó pasó por la obra de la calle Giribone. A lo mejor fue porque quiso ver a Marta, que hacía días no aparecía por el estudio. O porque quiso comprobar con sus propios ojos que al día siguiente el pozo estaría hormigonado y él, canalla o no, ya no tendría que preocuparse por Jara. Tal vez simplemente lo llevó allí el destino, lo puso en el escenario donde debía desempeñar el rol de testigo. Ya no se acuerda de cuál fue el verdadero motivo, pero sí que esa tarde estuvo allí. Tal como estaba previsto, todos trabajaban en los últimos detalles necesarios para poder echar el hormigón al día siguiente: las zapatas abiertas en el piso del subsuelo; los pelos de hierro colocados en cada columna y doblados tal como lo pedían los planos; el terreno limpio para que, cuando por la mañana llegara la hormigonera, el camión pudiera entrar sin obstáculos y volcar la mezcla donde correspondía; el personal instruido para que la tarea se cumpliera tal como estaba planeado. Marta se sorprendió al verlo:

—¿Qué hacés acá, Pablo? ¿Pasó algo?

—No, nada. Tengo que ver un terreno, cerca, a unas cuadras —mintió—. Así que pasé a ver si estaba todo bien, o si necesitabas algo.

—Que se termine esto, eso necesito —le dijo ella y se puso a revisar el encofrado de una viga.

Marta se veía cansada pero, a pesar de la fatiga, a Pablo le pareció que ella estaba más linda aun que cuando se vestía de ejecutiva para ir a la oficina: los pantalones adentro de sus botas de taco bajo, una polera larga, ajustada, que le marcaba la cintura, la cadera y los pechos. Un atuendo sin dudas elegido como para poder moverse con comodidad por las irregularidades del terreno pero sin perder esa sensualidad que Marta esgrime en todas partes, incluso en un lugar así, lleno de hombres que no tendrían reparo en mirarla de arriba abajo por más que ella fuera su jefe; como no tenían reparo en hacerlo aquel día, con la misma impunidad, cuando él se paraba junto a Marta Horvat y los observaba intimidante como si fuera el único hombre con derecho sobre esa mujer. Marta fue a hablar con el capataz; vistos desde el lugar donde Pablo se encontraba, parecía que estuvieran repasando juntos un listado de tareas para verificar que todo estuviera hecho según lo planeado. El hombre le mostraba unas planillas que ella leía y luego firmaba con una birome, ¿azul?, que cada tanto apretaba entre sus dientes. Cuando terminó con las planillas, Marta regresó donde estaba Pablo, lo tomó del brazo y se lo llevó detrás de una partida de ladrillos huecos que habían sido apilados cerca de la medianera:

—Vení que te quiero contar algo —le dijo.

El pequeño espacio los obligaba a estar tan cerca que Pablo se inquietó, como cada vez que tenía a Marta Horvat a esa distancia:

—Hoy estuvo todo el día mirando.

—¿Quién? —preguntó él.

—Jara. Se paró delante del alambre, allá, junto al cartel de obra, y miraba para adentro sin ningún reparo, no le importa nada a ese tipo. Anotaba en una carpeta y sacaba fotos; mandé al capataz a que le dijera que no estaba permitido tomar imágenes de la obra y a que lo asustara un poco. Le estuvo hablando como diez minutos, pero no hubo caso, no le importó, le dijo que la calle es pública y que si teníamos el culo sucio que tapáramos lo que no queríamos que él viera. Culo sucio —repitió Marta—, no me gustaría saber cómo huele el culo de ese viejo. Estuvo casi una hora, sacaba y metía carpetas en una bolsa, no sé qué hacía, leía, anotaba, idioteces supongo, ¿qué puede anotar ese hombre que no sean idioteces? Dice el capataz que hasta de fútbol le habló, y después se fue. ¿Tenés un cigarrillo?

Pablo se demoró un instante en contestar porque se quedó pensando por qué si nunca le había gustado que las mujeres putearan, oírle a Marta decir "culo sucio" lo hizo crispar, apenas, pero de excitación. Ella tanteó con la mano derecha los bolsillos del saco de Pablo buscando el atado de cigarrillos, primero en el pecho, y después con las dos manos a los lados. Cuando terminó de tocarlo, él, con la crispación sostenida, le dijo:

—No fumo, Marta.

—Cierto —dijo ella—, les voy a pedir a los muchachos.

Y allá fue. Pablo la siguió con la mirada, otros hombres también, hasta le pareció que algunos dejaban de trabajar a su paso o lo hacían más lentamente. Por fin uno de ellos le extendió un paquete y ella tomó un cigarrillo que se llevó a la boca; el capataz se acercó con un encendedor y lo prendió. Marta aspiró y luego dejó salir el humo con fuerza —para Pablo, con más fuerza de la necesaria—, como si por ese soplido Marta Horvat quisiera que salieran todas las tensiones del día. Alguien acercó un tambor de hojalata, lo dio vuelta para ella y se lo ofreció como asiento. Alguno de los obreros debe haber hecho un chiste porque Marta se rió, luego dijo algo y volvió a reírse, y se rieron también los hombres alrededor de ella. Marta Horvat hizo un gesto con la mano para que él se les uniera. Pablo fue hasta donde estaban y se ubicó lo más cerca de Marta que pudo. Tal como lo suponía, estaban contado chistes; en el momento en que se unió al grupo se desarrollaba un duelo de gracias entre un albañil cordobés y un pocero tucumano al que le decían el "Rey Topo" y que estaba a cargo de la cuadrilla que había excavado lo que sería el subsuelo y abierto las zapatas necesarias para recibir el hormigón. Pablo pensó que en el duelo debería vencer el Rey Topo, que, además de brazos fuertes ganados en años de cavar la tierra, tenía mucha gracia. Habría sido una suerte poder dejar la mente en el Rey Topo y sus chistes, pero un segundo después Pablo estaba otra vez con la vista clavada en la medianera del edificio de Jara, contando los pisos hasta llegar al que suponía podía ser el de él. Se quedó mirando esa ventana, abierta como tantas otras a fuerza de picar la pared en infracción. De haberse dado cuenta antes de que el departamento de Jara tenía una ventana en infracción, habría usado ese argumento para invertir la carga de la prueba y asegurarle a ese hombre que el verdadero origen de su grieta estaba allí, en su ventana ilegal. Pero ya no necesita un nuevo argumento. Mañana todo habría terminado. La medianera estaba sucia, tan sucia como el resto del edificio, y desde la distancia en la que él se encontraba era imposible distinguir la grieta de Jara. Pero Pablo Simó la imaginó. Como también imaginó cada una de las cosas que había descripto Jara para él: la mesa, las sillas, la heladera, el calefón, sus marcas con birome sobre la pared. Y también a Jara, espiándolos detrás de la cortina, preguntándose de qué se reirían, como si nadie pudiera reírse a tan pocos metros de su pared fisurada. Pablo bajó la vista y se encontró con la colilla encendida del cigarrillo que Marta acababa de fumar, e inmediatamente con la punta de su bota, aplastándola y girando sobre ella hasta que se apagó.

—¿Seguimos? —les dijo Marta Horvat a sus obreros.

Y todos se pusieron a trabajar otra vez.

A medida que pasaba el tiempo, y a pesar del cansancio, Marta parecía más tranquila, tanto como él no la había visto desde que Jara se había metido en sus vidas.

—Te veo bien —le dijo.

—Es que ya está, Pablo, mirá la hora que es. A esta hora de la tarde ya no hay tiempo para que el viejo pueda hacer nada que sirva para detener la obra, ya nadie le toma una denuncia, ya no puede caer ningún inspector. Mañana a las ocho de la mañana el pozo desaparece, y con él, desaparece el viejo.

Eso dijo Marta esa tarde: "El pozo desaparece y desaparece el viejo", y hoy Pablo, cuando lo recuerda así tal como ella lo dijo, se pregunta si Marta Horvat alguna vez se habrá dado cuenta del sentido premonitorio que tuvieron aquellas palabras, dichas entonces al pasar, como uno dice tantas cosas en la vida, sin conciencia real del valor de lo que enuncia.

Pero en contradicción con las fantasías de Pablo Simó, Jara no estaba atrás de la cortina espiando la obra de la calle Giribone. Él pronto lo sabría. Esa tarde, luego de visitar a Marta, Pablo volvió a su casa en subte como lo hacía cada día, andando bajo tierra, describiendo su recorrido habitual, largo y con combinaciones de líneas. Cuando salió a la calle en la estación Castro Barros otra vez escuchó el "¡Simó!" que unos días atrás le había adjudicado a Jara. Sin embargo esta vez ni se alarmó ni aceleró el paso: dado que no había ninguna posibilidad de encontrárselo a dos cuadras de su casa, ese grito tenía que ser de otro. Recién cuando giró sobre su hombro para ver quién lo llamaba, se dio cuenta de su error: Jara estaba allí, cruzando la esquina, agitado, corriendo para alcanzarlo.

—¿Qué hace acá? —le preguntó Pablo casi de mal modo.

—Lo espero, qué otra cosa podría estar haciendo tan lejos de mi barrio, arquitecto.

—¿Pero cómo supo que me iba a encontrar precisamente en esta esquina?

—No lo supe por la esquina sino por la boca del subte, dos más dos son cuatro, arquitecto, usted sale del subte cada mañana y se mete en el subte todas las tardes, el día que estuvimos en su oficina miré la boleta del gas que usted dejó sobre su escritorio, y Castro Barros es la estación más cercana a la dirección que estaba en la boleta, así que busqué un bar desde donde ver esta salida y esperé. ¿Se dio cuenta de que si se baja en Medrano y camina siete u ocho cuadras se evitaría tanta combinación de subtes?

—No me gusta caminar.

—Lo mal que hace, es bueno caminar. Yo camino mucho.

A Pablo le habría gustado decirle: Y a mí qué me importa, pero él no era de dar ese tipo de contestaciones, ni siquiera cuando estaba enojado, como lo estaba esa tarde.

—Existía un riesgo —siguió Jara—, la boleta no estaba a su nombre sino a nombre de una mujer, ¿la suya o la de otro, arquitecto?

Pablo se lo quedó mirando sin atinar a decir nada, entonces Jara siguió:

—Pero usted no es del tipo de los que les pagan el gas a mujeres que no son la suya, dígame si me equivoco.

A pesar de las palabras que con cuidado elegía, de su ironía, y sobre todo a pesar de que pretendía manejar la situación, Jara se veía algo crispado.

—¿Tomamos un café en Las Violetas? —le propuso a Pablo, y aunque era una pregunta, a él no le pareció que le estuviera dando opción a decir que no.

Pablo a su vez le respondió con otra pregunta, tal vez tardía, elaborada al extraño ritmo en que él podía seguir esa absurda conversación:

—¿De verdad usted estuvo revisando mi boleta de gas?

—No se lo tome a mal y no saque conclusiones que no son —le advirtió Jara mientras volvían a cruzar la calle y entraban a la confitería—. ¿Quiere que le confiese por qué la miré? Tengo una obsesión con lo que se gasta en servicios en esta ciudad, una barbaridad, me la paso comparando lo que yo gasto con lo que gastan los demás, y ahí estaba su boleta, usted que no salía del baño, yo esperándolo con la vista perdida sobre su escritorio, sin intención de hurgar, pero con los ojos ahí mismo, ni siquiera estaba dentro de un sobre, era correrla apenas un poco y mirar, ¿me entiende?

—Trato de hacerlo, Jara —dijo Pablo y para evitar otro tema de discusión, de lo que no haría más que arrepentirse, no agregó más.

Recién volvieron a hablarse cuando llegó el mozo y los dos pidieron un café.

—Usted gasta demasiado en gas, arquitecto, ¿no tendrá una pérdida?

—No creo, me habría dado cuenta por el olor.

—A veces son muy chicas y el olor se pierde entre otros olores de la casa, o hasta desaparece si ventilan mucho. Yo lo haría ver, está bien que ustedes son tres y gastan más que un hombre solo.

—¿Y cómo sabe que somos tres?

—¿No me lo dijo usted, arquitecto?

—No que yo me acuerde.

—Yo creo que sí, si no cómo voy a saberlo, eso no figura en la factura.

—Claro, eso no figura en la factura —repitió Pablo molesto y con cierta inquietud.

—No pensará que lo ando espiando, ¿no?

—Yo no pienso nada, Jara.

—Usted piensa más de lo que dice.

Llegó el mozo con los dos cafés y una jarra de leche que nadie le pidió, y recién después de que se fue Jara dijo:

—Me lo tiene que haber dicho usted, quédese tranquilo.

Nelson Jara tomó su café con la vista clavada en él, de a sorbos pequeños, midiéndolo. Pablo lo resistió tanto como pudo y cuando no soportó más le dijo:

—¿Qué quiere Jara?, ¿no recibió mis notas?

—Sí, las recibí, pero a esta altura de la tarde ya no sé si puedo creer en una nota suya. Para creer, necesitaba verle la cara.

—¿Qué quiere insinuar?

—Insinuar, nada; sólo trasmitirle mi preocupación, mi molestia, hasta le diría mi amarga certeza de que acá hay gato encerrado. Todos estos días hubo movimientos extraños en la obra, es decir, no exactamente extraños, movimientos apresurados para ser más concreto, como si tuvieran que hacer algo antes de lo previsto y les hubieran puesto a todos un palo en el culo.

—¿Y eso por qué lo inquieta?

—Porque tengo miedo de que el palo en el culo me lo terminen poniendo a mí.

—Si la obra se termina antes, para usted va a ser mejor —intentó decir Pablo para calmarlo pero Jara encogió los hombros:

—A mí me importa un carajo que terminen la obra antes, a mí lo único que me importa es que me paguen lo que es justo, y usted escribió en esas notas que firmó de su puño y letra que estaban estudiando mi caso.

—Lo estamos estudiando, sólo que todavía no tengo una respuesta definitiva para darle.

—Y una vez que tapen el pozo ya no la van a tener. Mire, Simó, yo puedo tener cara de idiota pero no lo soy, y cuando me tratan de idiota me irrito mucho, me pongo muy malo. Me pongo malo en serio.

Jara se pasó las manos por la cara con fuerza, frotando hacia arriba y hacia abajo, como si quisiera despertarse de un sueño, luego miró a su alrededor, y antes de seguir se tomó un instante que no le alcanzó para mucho más que para recuperar el aire y controlar su respiración agitada. Luego remató:

—Usted lo único que hizo fue hacerme perder el tiempo para que lo ganen ellos —dijo Jara mirándolo directamente a los ojos, y esta vez Pablo no pudo sostenerle la mirada—. ¿O no? —agregó y dio un golpe contundente: los pocillos retumbaron arriba del plato, y los clientes sentados en la mesa junto a ellos se dieron vuelta para mirarlos—. Siempre lo mismo —dijo y se detuvo antes de dar un segundo golpe apretando el puño cerrado en el aire como si ahí mismo estuviera golpeando algo que no existía—. Siempre lo mismo, Simó— repitió Jara y se levantó como para irse, pero Pablo lo detuvo:

—¿Qué quiere decir con siempre lo mismo, Jara?

—Que los peces chicos, en lugar de defender a los suyos, terminan defendiendo a los peces grandes. Revise la historia de la humanidad y va a ver si le miento. ¿Y sabe por qué?, para ilusionarse con que eso les permitirá llegar a ser lo que no son. Simó, por más que se ponga de su lado usted nunca va a ser ellos, ¿me entiende?

Y Pablo, mudo frente a Jara, entendía, entendía demasiado bien, y se sabía canalla. Pero ese sentimiento no alcanzó para persuadirlo de que él —justo él, Pablo Simó— iba a venir a cambiar a esa altura la historia de la humanidad. Jara, después de esperarlo un rato en silencio, pareció comprender.

—Por lo menos págueme el café —dijo, se paró y se fue.

Aunque la tarde, el encuentro y el mal momento parecían haber terminado, Pablo se sintió más inquieto que cuando Jara estaba frente a él. Se quedó unos minutos allí, sentado en Las Violetas, con la vista clavada en el *vitreaux* de la cúpula que corona la curva de esa esquina, sin pensar tampoco en la imagen representada sino aturdido por el sonido de cucharitas y vajilla a su alrededor. Así esperó. Temía salir y encontrarse con Jara todavía dando vueltas por la zona; conociéndolo, sabía que era posible. Más aun, en el momento en que giró la cabeza e hizo un gesto con la mano para llamar al mozo, Nelson Jara entraba otra vez y se dirigía con paso firme a la mesa. Llegó casi sin aire.

—Una sola cosa más, Simó, una duda arquitectónica si me permite, ¿hay alguna cosa, alguna circunstancia, alguna rareza que pudiera detener el hormigón de mañana?

—Que llueva —respondió Pablo automáticamente, casi sin pensar.

Jara se lo quedó mirando, asintiendo con la cabeza mientras una sonrisa apenas insinuada se le iba dibujando en la cara.

—Entonces, si tiene que llover, va a llover. Yo le aseguro que va a llover, Simó —dijo, se fue, y esta vez ya no volvió.

Sería una lástima que lloviera el sábado y que eso arruinara la salida con Leonor, piensa Pablo mientras la vendedora le factura el jean oscuro y el cárdigan amarillo. Aunque la palabra "salida" no es la indicada, se dice a sí mismo. Paseo, recorrida, tour de arquitectura, safari fotográfico. Elige la palabra recorrida sin agregarle ningún adjetivo mientras mete la tarjeta de crédito otra vez en la billetera: sería una lástima hacer esa recorrida bajo la lluvia, se dice, a menos que se tratara de esa llovizna que Leonor coloca en el punto dos de sus cosas favoritas.

O a menos, y eso sería aun mejor, que él se atreviera a preguntarle por el punto tres. Y que ella le respondiese.

11

En el momento en que Pablo termina de deslizar hacia arriba el cierre de su cárdigan amarillo, Laura entra al cuarto.

—¿Y eso? —le pregunta ella.

—¿Eso qué? —le dice él.

Su mujer cabecea señalando el suéter que Pablo acaba de ponerse.

—Me lo compré el otro día, lo vi en una vidriera cerca de la oficina, necesitaba un saco con cierre —se justifica él.

—Una camperita —le dice ella.

—¿No se llama cárdigan? —pregunta Pablo.

—No sé, no importa —le responde Laura—. Pero no hace falta que compres lo primero que ves, me hubieras dicho y yo te buscaba uno.

—No te gusta.

—No, sí, feo no es —le responde ella—. Lo que no sé es si es tu estilo.

—¿Por qué? —insiste Pablo.

—A vos te van mejor otro tipo de cosas —le dice Laura.

—¿Qué cosas me van mejor?

—Está bien, no me hagas caso, lo principal es que te guste a vos —dice su mujer y agrega como para terminar la discusión—: Yo ya me estoy yendo al supermercado, acordate de que si terminás rápido podemos ir al cine.

Pero Pablo insiste:

—¿Por qué decís que no es mi estilo?

—¿Yo dije eso? —le pregunta Laura mientras agarra la cartera y descuelga de una percha su campera de abrigo.

—Sí, dijiste que no era mi estilo.

—Yo no dije eso.

—Pero si lo acabás de decir.

—Yo lo que dije es que no sabía si era tu estilo, no que no lo fuera.

—¿Y eso es distinto? —pregunta Pablo.

—¿Estás con ganas de pelear? ¿Ves?, eso tampoco es tu estilo.

Laura se pone la campera; el pelo le queda enredado en el cuello del abrigo y ella se lo acomoda frente al espejo.

—A lo mejor estoy cambiando de estilo —dice él.

Laura lo mira pero no dice nada. Entonces Pablo agrega:

—Me compré este jean también —mientras se levanta desde la cintura el pantalón de denim oscuro que estrena esa tarde, haciendo un movimiento leve hacia arriba y hacia abajo como si necesitara calzarlo mejor—. ¿Te gusta? —le pregunta.

Ella mira la imagen de Pablo en el espejo y luego le dice:

—Tratá de no meterte donde haya mucho polvo, el jean oscuro es imposible de limpiar.

—Sí, quedate tranquila —dice Pablo Simó al tiempo que le da un beso a su mujer, toma el papel con la lista de los edificios para Leonor que dejó sobre la cama junto a su billetera, se mete las dos cosas en el bolsillo y se va del cuarto antes de que lo haga Laura.

La cita con Leonor es en la esquina de Rivadavia y Callao. Si bien casi todos los edificios elegidos para la recorrida están en zona de riesgo por la cercanía con el lugar donde él vive, Pablo sabe que Laura saldrá hacia Flores en busca del supermercado y no hacia el centro como él. Para cuando Pablo llegue con Leonor a Rivadavia al 3200 —la altura máxima que alcanzará sobre esa avenida— su mujer estará bien lejos de allí. Mira el reloj y se da cuenta de que llegó veinticinco minutos antes de la hora pactada. Observa la confitería El Molino condenada a estar cerrada; el edificio del Congreso; el bar de la esquina contraria, cruzando Callao; la plaza de los Dos Congresos con banderas y pasacalles que reclaman algo que Pablo no llega a leer. Ve una pequeña carpa, desvencijada, que sospecha que no pertenece a la protesta actual sino a los despojos de alguna otra anterior. Se pregunta por cuál de los cuatro puntos cardinales aparecerá Leonor. Para no tener que esperar tanto tiempo parado en esa esquina, camina por Rivadavia en el sentido en que sube la numeración y busca un bar tranquilo, donde pueda esperar a la chica sin que lleguen los sonidos de una protesta que no se preocupa por conocer. ¿Debería preocuparse? No hoy, se dice, justo el día en que va a salir por primera vez con una chica —aunque no se trate de una "salida" en el sentido estricto de la palabra— después de once mil setenta días de monogamia.

Encuentra un bar que le parece adecuado, entra, elige una mesa y se sienta. Luego saca la lista de edificios de su bolsillo, la pone sobre la mesa y, una vez más, la revisa. La primera conclusión a la que llega le preocupa: su elección atrasa un siglo. La mayoría de los edificios que eligió para Leonor fueron construidos hace casi cien años atrás. ¿Desde cuándo le interesa el *art nouveau* a él? ¿Por qué no eligió alguna torre moderna? ¿Por qué en lugar de sacar a pasear a la chica por Rivadavia no propuso una recorrida que la lleve, por ejemplo, a Puerto Madero o a Catalinas, donde abunda arquitectura de los últimas décadas, premiada y de renombre, que él podría mostrarle y describirle luciéndose con todo tipo de detalles? ¿Por qué no se le ocurrió llevarla a Palermo Soho, o Palermo Hollywood, o Palermo Queens, incluso a Las Cañitas, aunque allí no esté la arquitectura que más le gusta pero sí un lugar adecuado para caminar junto a una chica como Leonor? Se pregunta todo eso sentado en un bar mal iluminado por unas bolas color ámbar de vidrio grueso marcado cada tanto con burbujas de aire, con mesas de fórmica sin mantel, sillas duras de madera, servilleteros de plástico blanco con forma de prisma y resortes vencidos que tienen estampada en rojo la publicidad de un vermut; un lugar donde, además de él, a esa hora de un sábado por la tarde sólo están un mozo y el cajero.

Busca en el bolsillo y se da cuenta de que esta vez no lleva consigo el lápiz Caran d'Ache, ni la cinta métrica. Le pide al mozo una birome y escribe una "A" y una "N" en el edificio de Rivadavia al 2000, que definitivamente es *art nouveau*; también escribe "AN" en el del arquitecto Palanti por la misma razón. Pablo sabe que incluso los edificios de Colombo están catalogados dentro del mismo movimiento, por más que para el Tano Barletta —lo discutieron dos horas enteras parados frente al par de edificios de viviendas en la calle Hipólito Yrigoyen al 2500 por lo que casi llegan tarde al examen final de Historia II— "lo de Colombo es un engendro maravilloso que supera cualquier estilo". El Tano Barletta era fanático y defensor a muerte del arquitecto milanés, algo que en sus épocas de facultad no era bien visto; incluso algún ayudante de cátedra dijo delante de Barletta que los frentes de Colombo no eran arquitectura sino *fondant* de tortas, a lo que el Tano contestó desde el fondo del aula gritando:

—¡Estuco, no *fondant*; estuco, no *fondant*!

Y esa defensa le costó reprobar la materia dos veces.

—El tano Colombo hizo lo que quiso, se cagó en todos, por eso no lo elegían las familias bien, Pablo, fijate dónde están sus edificios: Almagro, Balvanera, Boedo; ni uno en Barrio Parque o Recoleta.

Ese día Pablo Simó tampoco había elegido para Leonor ningún edificio en Barrio Parque o Recoleta. Mira el reloj, todavía faltan diez minutos. Duda si poner o no "AN" junto al edificio de la calle Paraguay al 1300 —el que eligió bajo sospecha de que será el preferido de Leonor— porque Pablo considera que técnicamente esa construcción pertenece al *liberty milanés*, y aunque él sabe que el *liberty milanés* fue el *art nouveau* en Italia, cree que ese edificio merece una marca especial. Entonces pone "AN" y entre paréntesis "LM". Pablo Simó empieza a darse cuenta de que todos los caminos, un siglo después, lo conducen al mismo sitio, aunque dude de a qué movimiento pertenecen las barandas de Arenales y Riobamba y no pueda recordar qué arquitecto firma ese edificio. Si él siempre se jactó de admirar el racionalismo, ¿por qué eligió el *art nouveau* a la hora de salir a pasear con una mujer?

—El desborde del estilo, las curvas, su exuberancia. Todo eso es lo que calienta del *art nouveau*, Simó —le habría contestado el Tano Barletta si hoy entrara en ese bar en el que Pablo toma una gaseosa con poco gas, sobre una Rivadavia desierta.

Y aunque su amigo no está allí con él y Pablo no tiene idea de dónde puede estar el Tano en este momento, lo trae frente a él y lo sienta en su mesa.

—¿Desde cuándo vos sos *art nouveau*, Pablo? —le pregunta Barletta—. El *art nouveau* era yo. Vos eras el racionalista, el elegante *art decó*, y yo el grasa, aunque los dos hayamos salido de la misma clase media. ¿Qué te pasó?

—Nada, Tano.

—¿Nada? ¿Cuántos años hace que no nos vemos?, ¿quince?, ¿veinte? Algo te habrá pasado en todos estos años, Pablo.

—No es cosa de los años que pasaron, Tano.

—¿Y qué es?

—Es cosa de hoy, es cosa de hace unos días.

—Contame.

—Te juro que si hubiera un Gaudí en Buenos Aires me iría a vivir ahí ahora mismo.

—¿Gaudí no te parece mucho?

—Cuanto más sinuoso y más curvo, mejor.

—Te enamoraste, Pablo.

—¿Qué decís?

—Que te enamoraste. A mí me parece que no estás buscando un edificio lleno de curvas donde meterte, sino una mina.

—Estás loco, Tano, yo sigo con Laura.

—¿Y?

—Que sigo casado.

—¿Y?

—Que estoy en la misma situación que cuando nos dejamos de ver.

—La misma no, pasaron una punta de años, hermano. Estamos más viejos, Pablo. ¿Sabés que no conozco ningún tipo de nuestra edad, no conozco uno, te juro, que no esté fastidiado de su mujer?

—¿Fastidiado?

—Sí, fastidiado, ésa es la palabra, Pablo: fastidio. Si no te lo dicen con todas las letras igual se les nota cuando hablan de ellas, o cuando no hablan.

—Sí, más viejo estoy.

—Y más asustado también.

—¿Asustado de qué? —pregunta Pablo.

—De que la vida termine siendo esto —le responde—, nada más que un pequeño fastidio con el que hay que seguir, un fastidio suave pero permanente, que no duele ni mata, pero seca.

Pablo juega apretando la placa del servilletero contra el resorte, una pila de servilletas se sale de lugar y él se dedica a acomodarlas con obsesión. Sin mirar a Barletta, con la vista clavada en lo que hacen sus manos, dice:

—La chica tiene poco más de veinticinco años, Tano.

—¡Viste que había una mina! —se alegra Barletta—. ¡Viste, te dije!, ¡qué *art nouveau* ni qué *art nouveau*!

—Hay, sí, y es linda, y se ríe, y me trata bien —dice y deja que su mirada se pierda detrás de un colectivo que pasa por la calle Rivadavia.

—Te enamoraste, Pablo.

—¿Te parece? No sé si esto es estar enamorado, Tano. Hoy creo que no sé qué es estar enamorado. ¿Es esto?, ¿por fin me enamoré? —le pregunta.

Pero cuando regresa la mirada a la mesa de ese bar el Tano Barletta ya no está sentado frente a él. Pablo ahora está allí solo, ¿enamorado?, sin más compañía que un papel con direcciones garabateadas, preguntándose no ya por el *art nouveau* sino si él, a esta altura de la vida, sabe qué cosa es el amor. ¿Contra qué parámetro o medida puede ir a cotejar si lo que sintió alguna vez era o no amor? Uno puede saber qué es un auto, qué una montaña, un oso, una manzana o un servilletero de plástico. Un muerto enterrado en un pozo bajo la losa de un edifico. ¿Pero qué es el amor?, se pregunta hoy, tal vez por primera vez en la vida, Pablo Simó. ¿Es lo que sintió por Laura cuando se conocieron? ¿O lo que sentía después cuando decidieron casarse? ¿Es amor ese dolor en el pecho que sufrió en el hospital el día que nació Francisca? ¿O amor es aquello que tantas veces Marta Horvat le movió dentro del cuerpo? ¿Es lo que hace que hoy siga casado? ¿O eso es apenas una derivación del amor, como el *liberty milanés* del *art nouveau*? ¿Amor es lo que lo llevó a mentirle a su mujer para no ir al supermercado como tantos sábados, comprarse un cárdigan amarillo y un jean nuevo, y sentarse en ese bar a esperar que llegue la hora fijada para una cita?

Pablo deja que otra vez su mirada se pierda detrás de la vidriera. Dos chicas de la edad de Francisca pasan riendo junto a la ventana, y detrás de ellas un hombre solo, y detrás una mujer paseando un perro. Se pregunta si alguno de ellos sabrá qué es el amor, ¿lo sabrán el mozo y el cajero?, ¿lo sabrá Laura? ¿Y Marta Horvat? Se responde que, aunque no lo sepan, ellos deben creer que sí lo saben porque el amor es un concepto democrático: todos creen conocerlo, saber o haber sabido de él, algunos le cantan, otros le lloran, pero nadie lo niega. Hasta un Tano Barletta inventado por él se siente con derecho a preguntarle por el amor como si supiera muy bien de qué se trata. El Tano Barletta que, hasta donde Pablo sabe, nunca tuvo una relación con una mujer que durara más de dos semanas, que siempre dijo que casarse era para cobardes o para aburridos, que su apreciación del género femenino se limitaba a un ranking que llevaba en tiempos de la facultad elaborado en función de una sumatoria de puntos que resultaba del valor que les daba a distintas partes del cuerpo de las candidatas, pero principalmente al culo, los muslos y las tetas. Ese mismo Tano Barletta, imaginado o no, le acaba de asegurar que él, Pablo Simó, está enamorado. ¿Y si en esto también son el culo y la memoria? ¿Y si él y el Tano Barletta le llaman amor a cosas diferentes? No encuentra respuestas, sino cada vez más preguntas. O a lo mejor se trata de la misma pregunta repetida bajo distintas formas. Porque si uno no sabe qué es el amor, ¿qué más preguntas quedan por hacerse? Tampoco sabe, pero hay algo de lo que Pablo sí está seguro: que nadie, casado, soltero, hombre, mujer, joven o viejo, se atreve a dudar —como hoy lo hace él— de que el amor exista.

Mira su reloj, mierda, se pasó cinco minutos de la hora pactada con Leonor. Deja sobre la mesa la

plata que paga lo que consumió y sale, apurado, temiendo que la chica ya lo esté esperando.

O peor aún: que Leonor se haya ido, lo que le
confirmaría qué poco sabe Pablo Simó del amor.

12

Demasiada gente en la esquina de Rivadavia y Callao para ser un sábado a la tarde. Y demasiado ruido. ¿Por qué la tuvo que citar allí? Sólo a él se le podía ocurrir citar a una mujer en la esquina de una plaza donde siempre hay personas reclamando, carteles, banderas, carpas, altavoces, bocinas. La busca con la mirada en los cuatro puntos cardinales, trata de ver entre la carpa y las banderas; no la encuentra. ¿Será esa que se asoma detrás del hombre alto con campera de jean? No, no es. Tampoco la chica de anteojos negros que viene cruzando desde la plaza; se le parece pero Leonor es más baja, más linda, y su pelo, aunque lo ate en una cola de caballo, brilla más. Gira otra vez deteniéndose un instante en cada una de las cuatro direcciones posibles. Gente sí, pero no ella, no Leonor. ¿Qué debería hacer él en este momento? ¿Sólo esperarla? Pablo juega con el cierre de su cárdigan nuevo, lo sube y lo baja unos centímetros, como si ese movimiento justificara su falta de acción. Podría llamarla, verificar que estuvo y se fue, o verificar que nunca estuvo. Saca de su billetera el número que Leonor le anotó en la servilleta. Por primera vez en su vida quisiera tener un celular, hoy siente que lo necesita, si tuviera uno ella podría haberlo llamado; entonces él sabría qué tiene que hacer y no se sentiría a la deriva como se siente. Mira hacia un lado y otro buscando un teléfono, pregunta en un quiosco de diarios y revistas, le dicen que a media cuadra hay un locutorio. Mira el reloj, quince minutos después de la hora citada, más de quince, dieciocho casi veinte. Entra al locutorio y marca el número de Leonor.

—¿Venís? —le pregunta Pablo Simó a la chica.

—Estoy parada en la esquina, ¿vos dónde estás?

Él no contesta, corta, deja un billete de dos pesos que paga por demás la llamada, y sale corriendo hacia Rivadavia y Callao. La ve a lo lejos, tiene puesta una campera rosa, ¿qué significará una campera rosa? Ella sigue con el celular en la mano, abierto, como esperando que vuelva a sonar. Él se apura tanto como puede.

—Hola —le dice Pablo intentando disimular la falta de aliento y, mientras duda qué más hacer, ella apoya una mano en el hombro de él, acerca su cara a la de Pablo, le da un beso en la mejilla y dice también:

—Hola, ¿dónde estabas?

—En un locutorio, pensé que ya no venías.

—Vine hace un rato y como no te vi fui a comprar agua —le dice Leonor y le muestra una botella que se lleva a la boca para luego ofrecerle—: ¿Querés?

Pablo se queda mirando la mano de la chica que sostiene la botella, pero no contesta; Leonor interpreta que eso es un no, entonces vuelve a beber y dice:

—¿Por dónde empezamos?

—Vamos por Rivadavia hacia arriba —le dice él.

—¿Qué quiere decir hacia arriba?

—Hacia donde sube la numeración —contesta Pablo y señala la dirección en la que deben caminar.

—Subamos entonces —dice ella y le sonríe con los ojos.

Avanzan los dos por Rivadavia, en silencio, y aunque no es un silencio incómodo, al contrario, Pablo se pregunta si tiene que sacar algún tema de conversación. ¿Por qué cuando uno está con alguien siempre hay que hablar de algo? ¿Por qué a la mayoría de la gente le cuesta tolerar el silencio? Él se quedaría así, caminando callado junto a ella, pero teme que la chica interprete que lo hace porque está nervioso, o porque es tímido, o porque no tiene nada que decir. Es mejor que haga lo que haría todo el mundo y diga algo, concluye. Cree que empezar hablando de los edificios que van a ver y de lo que él sabe acerca de ellos puede ayudarlo a lucirse delante de la chica, pero tal vez sea un tema aburrido para una caminata que recién comienza. Sin embargo no sabe si está autorizado a hablar con Leonor de alguna otra cosa. La chica le pidió frentes de edificios para fotografiar, y que la acompañe; hasta ahí está todo claro, ¿pero de cuántas otras cosas pueden hablar ellos mientras caminan? Del curso de fotografía que hace Leonor. De si le llevó mucho tiempo o no llegar al sitio de encuentro. De la marca de agua mineral que ella toma, o de si prefiere aguas con sodio o sin sodio. Del tiempo. Del tiempo seguramente sí, quién no habla del tiempo, se responde. Pero en cuanto se imagina diciéndole a esa chica: ¿qué lindo día, no?, se siente un idiota. Podría preguntarle con quién vive, si tiene pareja, si la tuvo. No, no si ella no le pregunta antes, se dice a sí mismo, y desea además que Leonor no se lo pregunte porque entonces se vería obligado a hablarle de Laura y de Francisca, o a mentirle.

La mira otra vez y decide que esperar a que la chica hable primero tampoco es una mala opción. Pero siguen caminando y Leonor no habla, aunque a ella eso no parece incomodarla en lo más mínimo: cada tanto lo mira, le sonríe y toma agua, pero no dice nada. Pablo se detiene apenas para dejar que ella avance un paso delante de él, y luego se mueve hacia el costado buscando cambiar de posición, de modo que Leonor no quede del lado del cordón de la vereda; ella no entiende la cortesía y se extraña del movimiento que él intenta.

—¿Pasa algo? —dice la chica.

—No, nada —dice Pablo pero lo vuelve a intentar, tocándola apenas en la espalda para que ella acompañe lo que él hace.

La chica se ríe, acomoda su mochila como si fuera eso lo que le impide a Pablo ponerse donde quiere, y lo deja cambiar de lado.

—¿Qué pasa? —insiste ella.

—Nada, que ése es tu lado y éste es el mío.

—¿Por qué?

—Porque las mujeres van del lado de la pared y los hombres del lado de la calle —le explica Pablo.

—¿Quién dijo eso?

—No sé quién lo dijo, es una costumbre.

—¿Y vos sos muy apegado a las costumbres?

Pablo se incomoda, no sabe qué contestar. ¿Es muy apegado a las costumbres? ¿A cuáles costumbres? ¿Hoy, después de once mil setenta días al lado de Laura puede Pablo Simó asegurar si las costumbres que respeta son las de él, las de ella, las acordadas entre los dos, o las de nadie? ¿Quién lo mandó a pedirle a esa chica que fuera del lado de la pared? Leonor se cansa de esperar que Pablo responda a su pregunta anterior y prueba con otra:

—¿Pero qué, trae mala suerte? ¿Algo así como pasar por abajo de una escalera o cruzarse con un gato negro?

—Algo así —miente él.

—Sos muy gracioso, vos —dice Leonor y los ojos se le estiran en una sonrisa que le toma toda la cara.

—¿En serio? —pregunta Pablo—. Creo que es la primera vez en la vida que me dicen que soy gracioso.

—A lo mejor sos gracioso sólo conmigo —dice ella y a Pablo se le encoge algo dentro del cuerpo—. ¿No? —insiste.

—A lo mejor, sí —dice él.

Se detienen en una esquina a esperar que cambie el semáforo; del otro lado de la calle, Pablo ve su propio reflejo en la vidriera de un negocio, le cuesta reconocerse vestido con esos colores, pero sabe que aquella imagen es la suya porque a su lado está la chica de la campera rosa. Cuando la luz les da paso, él apoya la mano en la cintura de Leonor y la guía entre la poca gente que avanza en sentido contrario y algún auto que dobla abriéndose paso a fuerza de meter la trompa. Pero ni bien ponen un pie en la otra vereda, la suelta.

—¿Falta mucho? —le pregunta ella.

—Dos cuadras —le contesta él.

Y esas dos cuadras transcurren sin que Pablo pueda pensar con demasiada claridad. Son pocas cosas las que sabe a esta altura de la caminata: sabe que hay una mujer con campera rosa a su lado, que esa mujer huele a colonia suave, tal vez ni siquiera sea colonia sino el perfume de una crema o del jabón con el que acaba de bañarse, que ella cada tanto lo roza al caminar, que la conoció porque vino al estudio a preguntar por Nelson Jara, y que esa mujer le gusta. Sabe también que camina por la calle Rivadavia hacia donde sube la numeración, que dentro de poco el sol se esconderá definitivamente detrás de los edificios situados a su izquierda; sabe que lleva una lista con frentes *art nouveau* en el bolsillo junto a su billetera, y que aunque no trajo ni la cinta, ni el lápiz Caran d'Ache, ni la libreta, eso ahora no lo inquieta. Leonor lo toma del brazo y se acerca a decirle algo, él no escucha bien qué porque se queda pensando si la mano que Leonor puso sobre su brazo y aún no retira puede significar algo más que buscar un punto de apoyo para acercarse a su oído y decirle lo que sea que ella acaba de decirle. La mano de Leonor.

En Rivadavia al 1900, Pablo la detiene para mostrarle el edificio del arquitecto Palanti al otro lado de la calle.

—¿Cuál? —le pregunta ella.

—Aquél —le dice y se lo señala.

Un colectivo que para frente a ellos no los deja ver sino hasta unos segundos después, cuando ya bajaron y subieron los pasajeros que debían hacerlo. Leonor se queda un instante mirando el frente del edificio desde esa posición; luego saca la cámara de la mochila y empieza a tomar fotos.

—Qué carga llevan sobre sus espaldas —dice Leonor y señala a las esculturas de músculos fibrosos, parientes lejanos de Atlas, que representan dos hombres arrodillados sobre bloques de cemento sosteniendo con sus espaldas la nave central del edificio.

—No cargan nada —corrige él—. Al edificio lo sostiene un armazón de hierro, esos dos hombres no son nada más que adorno.

—¿En serio? ¿Cómo sabés?

—Vi los planos del edificio.

—Pero ellos creen que sostienen, mirales la cara.

Y Pablo mira las esculturas, es cierto lo que dice la chica: esos dos hombres que no sostienen ninguna carga creen que cumplen con un deber, y el peso que imaginan soportar se refleja no sólo en sus caras sino también en los músculos de los brazos y las espaldas. Leonor se detiene para hacer algunos planos de detalle a los ángeles niños que adornan el edificio a cada lado. Pablo se pregunta quién habrá autorizado poner los aires acondicionados en el frente, sólo a la derecha, cortando la fachada con desprolijidad, como quien con un cuchillo corta una torta en cualquier parte y roba un pedazo sin respetar el orden natural de las cosas. Leonor vuelve a cruzar la calle para tener perspectiva y tomar una foto de la fachada entera. Pablo la mira desde el otro lado: su cara tapada por la cámara; sus brazos eligiendo la altura indicada; sus piernas levemente separadas y los pies firmes buscando el ángulo exacto, como si su cuerpo fuera el trípode que le dará estabilidad al retrato. Un hombre joven pasa junto a ella y la mira de una manera que a Pablo le desagrada. El hombre camina unos pasos más y se da vuelta para mirarla otra vez; Leonor no se da cuenta, pero él, Pablo Simó, está a punto de lanzarse a la calle, encararlo y decirle: ¿Qué mirás, idiota? Nunca sabrá si lo hubiera hecho porque para cuando el tránsito le permite cruzar, el hombre ya siguió su camino y Leonor, que terminó de tomar las fotos que creía necesarias, lo ve acercarse —ajena a lo que acaba de provocar en los dos hombres— y dice:

—¿Por dónde seguimos?

—Siempre para arriba —dice él y ella se ríe.

Pablo la ayuda a guardar la cámara otra vez en la mochila, y luego a calzarla sobre su hombro. Él se ofrece a llevarla, pero ella le dice que no hace falta, que está acostumbrada a llevar carga.

—Como ellos —dice Leonor, le guiña un ojo y señala las esculturas de Atlas que acaban de dejar atrás.

En el camino hacia el próximo destino, apenas una cuadra más adelante, a Pablo Simó se le ocurren varias preguntas que quisiera hacerle a Leonor pero las va descartando una a una: algunas por tontas, otras por atrevidas. Quisiera decir algo que a ella le resultara interesante, algo que lo haga lucirse delante de la chica, pero no sabe qué. Tal vez ahora sí demostrarle sus conocimientos profesionales, lo que sabe de la arquitectura de la ciudad, o del planeamiento urbano. Lo descarta, no cree que funcione. ¿Puede a Leonor interesarle el planeamiento urbano? ¿Qué puede admirar una mujer tan joven de un hombre de cuarenta y cinco?, se pregunta. Eso quisiera, que la chica lo admirara.

—Querés seducirla —lo corrige Barletta que aparece de pronto, esta vez sin que Pablo lo llame.

—Yo no dije seducir, dije admirar —le dice él.

—Llamá a las cosas por su nombre, Pablo.

Él intenta hacer desaparecer a Barletta y para eso se concentra en Leonor y le pregunta:

—¿No necesitás los datos de los arquitectos y los detalles técnicos de los edificios?

—No, no creo, yo sólo pensaba poner la dirección debajo de cada foto —dice ella; sin embargo, unos pasos más adelante, la chica se arrepiente—. ¿Sabés qué?, pensándolo mejor quizás me vendría bien algún dato más. Pero en todo caso otro día, cuando pueda sentarme y tomar nota tranquila. ¿Te parece?

—Sí, me parece —dice él.

Pablo Simó camina lo que queda de esa cuadra en silencio, pensando sólo en dos de las palabras que ella acaba de pronunciar: otro día. Si Leonor dijo eso, es porque supone que se van a volver a encontrar, que va a haber otro día, otra vez, otra recorrida, otro momento.

—Acá —le dice él cuando ya están a punto de pasar de largo y señala el edificio del arquitecto Ortega, pero no menciona de quién es porque a ella, por ahora, no le importa el arquitecto que lo firma, tal vez otro día sí.

—Crucemos —le pide Leonor—, de tan cerca no alcanzo a ver nada.

Entonces cruzan, pero la chica en lugar de subir a la vereda se apoya en el costado de un auto estacionado, como si fuera la butaca de un cine, y mira. Él la mira a ella: así, a esa distancia, no le parece una chica sino una mujer. Ahora sospecha que Leonor debe tener más años de los que él suponía. ¿Por qué no se lo pregunta? La cadera de Leonor, aplastada contra el auto, lo atrae aun más. Cruza. La chica lo ve venir y cuando él está a unos pasos golpea el capó a su lado, con una palmada suave, tres o cuatro veces, invitándolo a sentarse junto a ella. El auto está sucio, cuidado con el polvo, sabe que le advertiría Laura, pero él no duda ni un instante y se sienta donde Leonor le indica.

—¿Sabés cómo se llama? —le pregunta Pablo.

—¿Cómo?

—La Casa de los Lirios.

—¿Y por qué?

—¿Ves esas nervaduras que suben por las ventanas hasta el techo? —dice él y se acerca a ella cuando a la distancia recorre en el aire el camino de los lirios—. ¿Las ves?

—Sí —dice Leonor y mira el edificio así, tan cerca de la cara de él, que Pablo siente que está a punto de besarla cuando ella sin advertirlo, ¿o sí?, se mueve para descolgar la mochila de su hombro, la abre, saca la cámara y una vez más toma fotos.

Mientras Leonor trabaja, Pablo se queda mirando el edificio que eligió para ella. El último piso está coronado por la cabeza de un hombre —¿o el dios Eolo?— a la que llegan ramas de lirios más carnosas y robustas que las que podrían encontrarse en ningún jardín de Buenos Aires, y se meten dentro de esa cabeza. Las ramas nacen en la base del edificio y corren hacia arriba, cada tanto aparece una flor pero las ramas siguen, no se detienen, se desparraman por las paredes hasta llegar bien alto. A ese hombre le colonizaron la cabeza, piensa. Si Pablo Simó no hubiera estudiado en la facultad el edificio de Ortega, si no supiera que se llama La Casa de los Lirios, diría que lo que abraza a ese edificio y a ese hombre son plantas carnívoras.

—Listo —dice Leonor y guarda otra vez la cámara en la mochila—. ¿Seguimos?

Caminan más de diez cuadras para llegar al siguiente edificio, también sobre Rivadavia, y Pablo, a pesar del poco entrenamiento que tiene en las caminatas, no se siente cansado. "Sangre terca", pintó alguien con soplete en una de las persianas metálicas, y un poco más abajo "MP 20 Proyecto Popular". Pablo Simó no deja de mirar la leyenda pero omite el proyecto popular y se queda con la sangre terca, mientras Leonor ahora toma fotos de ese frente. Se pregunta si Sangre terca será un grupo de rock o de cumbia, alguna tribu urbana o simplemente un grito desesperado en medio de una ciudad donde muchos, él, Leonor, ¿Francisca?, viven en silencio. O hablan de cosas sin importancia porque no lo toleran. Pero no gritan, no estallan. Sospecha que Leonor debe saber qué significa, pero no se lo preguntará; teme que eso marque definitivamente la distancia que hay entre ellos. La chica saca una buena cantidad de fotos de las aves que adornan el frente del edificio y está lista para seguir. ¿Cuántos años le lleva él a esa chica?, ¿o debería decir a esa mujer? ¿Veinte? ¿Quince? No sabe. Muchos.

—¿Cuántos años tenés? —le pregunta casi sin pensarlo en cuanto se ponen en movimiento rumbo a los otros edificios de Colombo, esta vez sobre la calle Hipólito Yrigoyen.

—Veintiocho, ¿por?

—Por nada, por saber.

Sangre terca, piensa Pablo Simó y hace la cuenta, diecisiete años. ¿Hasta qué edad la sangre seguirá siendo terca? ¿Hasta qué edad seguirá sintiendo Pablo Simó esa tensión en las piernas que por momentos sube por la pelvis hasta la base del estómago mientras camina junto a una chica diecisiete años menor que él? ¿Cuánto más queda por delante, no de vida, sino de aquello que hoy todavía siente?

—El *art nouveau* fue efímero, Simó —le dice el Tano Barletta al oído—. Vos lo sabés, no hubo estilo que pasara de moda más rápido.

Y aunque el Tano Barletta no está ahí, Pablo sabe que lo que acaba de decirle es cierto.

—¿Y sabés por qué? Porque los que no lo entendían lo vieron exagerado, grasa, Pablo, y hasta tuvieron el tupé de llamarlo "estilo espagueti", como el idiota de Historia II, ¿te acordás?

Pablo se acuerda: del estilo espagueti, de su amigo y de cómo tuvo que agarrarlo para que no trompeara al ayudante de cátedra, y se ríe. Leonor le pregunta:

—¿De qué te reís?

—De nada, de algo que me acordé —le dice él.

—Contame —le pide la chica.

—De un amigo al que le gustaban mucho el *art nouveau* y Colombo —le contesta Pablo y le aclara antes de que ella pregunte—: Colombo es el arquitecto del edificio que te mostré recién, el de los pavos reales.

—¿Eran pavos reales? —pregunta ella.

—Sí —le dice él—, ¿vos qué creías?

—Yo no tengo idea, ¿pero los pavos reales no tienen una cola inmensa que despliegan como un abanico?

—Los machos —dice él—, cuando quieren seducir a la hembra.

—Entonces éstos no querían seducir a nadie.

—O eran hembras —dice Pablo.

—¿Pero de qué te reías antes? —insiste ella.

—No sé, ya no me acuerdo —le contesta él, y se ríen otra vez.

Después de fotografiar los dos edificios de Colombo en Hipólito Yrigoyen al 2500, de explicarle a Leonor qué son las viviendas colectivas, de mirarla otra vez tanto como puede intentando que ella no lo descubra, Pablo propone tomar un taxi para ir a ver el próximo frente.

—¿Te parece tomar un taxi?

—¿No estás cansada? —le pregunta él.

—No —dice ella—, pero está bien, si es lejos mejor ahorrar energía.

Ahorrar energía. ¿Por qué Leonor dice que es mejor ahorrar energía?, ¿se lo está diciendo a él? ¿Ella quiere ahorrar energía para él?, ¿ella quiere que él ahorre energía para ella? No, no se lo puede estar diciendo con esa intención, concluye, y detiene con el brazo extendido un taxi que acaba de doblar por Saavedra. Pablo abre la puerta para que suba primero ella y después sube él; definitivamente debe aceptar que es un hombre apegado a las costumbres. Con el auto ya en marcha, Pablo Simó mira por la ventanilla y se toma un instante para poner en claro su cabeza. La luz del día empieza a decaer, entonces sabe que hay cosas que debe aceptar con resignación. Por ejemplo: que si ese taxista no se apura llegarán casi de noche al último destino, que él tiene cuarenta y cinco años y ella veintiocho, que a esta hora Laura debe estar ordenando la compra del supermercado y esperándolo inútilmente para ir al cine, que quiere seducir a esa chica y aún no sabe cómo —sí, Barletta, seducir—, que el auto que los lleva acaba de detenerse en un semáforo rojo y eso provoca que otro instante de luz diurna se pierda en alguna parte. Pero a pesar de todo eso, de que ya no hay sol, de su edad, de su mujer, de la luz perdida, del supermercado o del cine, a pesar del semáforo que lo detiene, él allí, sentado a centímetros de Leonor, se siente feliz.

El taxi para en Riobamba y Arenales, tal como Pablo le había indicado; él paga el viaje y bajan. Leonor busca la esquina con mejor ángulo para sacar fotos a las barandas que visten los balcones: rejas de hierro, negras, llenas de flores, abiertas como prolijos y perfectos abanicos españoles, o como mantones de Manila. Por curiosidad, mientras ella saca fotos, él recorre la esquina buscando el bloque de granito donde debe estar estampada la firma del arquitecto. Se pregunta si a alguien, si a alguno de los pocos peatones que pasan junto a ellos ese sábado cuando la tarde termina, le puede importar como a él quién hizo ese edificio, quién lo pensó, quién lo imaginó, quién lo dibujó sobre un papel como Pablo Simó dibuja su torre de once pisos que mira al Norte, y quién, a diferencia de él, lo levantó. Encuentra primero el nombre del edificio: "Camerou", y unos bloques más allá el del arquitecto: "P. Pater". El mismo del Tigre Hotel, piensa, y casi por instinto busca a Leonor para decírselo, pero no lo hace, ella ya le dijo que esos detalles no le interesan por ahora, otro día, dijo, y él quiere que lo admire, que sepa cuánto sabe, que sepa que le puede enseñar muchas cosas, pero también quiere que exista ese otro día.

Desde allí caminan hasta Paraguay al 1300, al edificio que Pablo eligió especialmente para Leonor, por *liberty* y por femenino. Le sorprende ver que en la planta baja funciona una tintorería, le molesta —no se acordaba qué había en ese local si es que alguna vez lo supo—, y aunque a esa hora el local ya tiene la puerta cerrada al público, alguien trabaja dentro y Pablo

Simó siente que el olor a tela caliente y a limpieza a
seco no van con ese edificio. Hasta hace un tiempo la
mayoría de los edificios de viviendas de Buenos Aires
eran diseñados con locales en planta baja, y la suerte,
la desgracia o el dinero del mejor postor terminaban
definiendo qué cosa adornaría el edificio a la altura de
la vista de los peatones. Así, un edificio *art decó*, uno
racionalista, *art nouveau*, o lo que sea, termina custo-
diado por verdulerías, bares, casas de electricidad, pe-
luquerías, agencias de juego; completan el cuadro el
movimiento de cajones que entran con mercadería o
bolsas que salen con desperdicios, clientes, cortinas
que bajan o suben según sea el momento del día. Definitivamente a Pablo no le gusta que en éste haya una
tintorería; el humo que sale cada tanto de las máqui-
nas hace que el edificio se sienta caliente, pesado, con
un agobio que no le pertenece a esa fachada clara, casi
blanca, sobre la que una serie de azulejos componen
una imagen de campo intensa pero apacible.

—Mejor cualquier cosa en planta baja, antes
que la falta de identidad peatonal con la que se levantan hoy los edificios en la ciudad, Pablo —le dice el
Tano Barletta—. Ya a nadie le importa la identidad
peatonal. ¿Te diste cuenta de que uno camina y cuando pasa frente a esas grandes torres alejadas de la vereda, podría estar en cualquier lugar del mundo? San
Pablo, Miami, Madrid, lo mismo da.

Aunque a Pablo Simó definitivamente no le
gusta esa tintorería enclavada allí, tampoco tiene ganas, en medio de la recorrida con Leonor, de andar
discutiendo con el Tano Barletta, y menos de arquitectura. Él quiere estar solo con ella, paseando por la
ciudad, buscando lugares, sosteniendo su mochila

mientras ella saca fotos, rozándose —¿sin querer?—
mientras caminan, mirándola. El Tano Barletta, ahora, sobra. ¿Podría hablar con Leonor de la falta de pea-
tonalidad de la ciudad que recorren? No cree, pero qué
importa. Tampoco habló tanto de temas de arquitectura con Laura en todos estos años de matrimonio, o
si habló fue porque ése es su trabajo, como otro hombre puede hablar con su mujer de cómo le fue durante el día en la oficina, en un banco o en un quirófano.
Con Marta sí:

  —¿Te diste cuenta de que hoy se construye la
ciudad para mirarla desde un auto que pasa? —le dijo
a Marta un día que iban en taxi por las barrancas de
Belgrano, camino al *show room* que se acababa de ins-
talar en una de las últimas obras del estudio Borla.

  —¿Y? —le preguntó ella.

  —Que es una pena, Buenos Aires no era así.
Buenos Aires es para caminarla.

  —Es para caminarla si no tenés auto. Vos no
tenés auto, ¿no?

  Pero hoy tampoco es día para pensar en Marta.

  —¿Te gusta? —le pregunta Pablo a Leonor
con rapidez para sacarse a Barletta, a Laura y a Marta
Horvat de la cabeza.

  Leonor no alcanza a oírlo, recorre con la lente
la fachada recubierta de cerámicos traídos especialmente de Milán y balcones altos y estrechos remata-
dos con rejas blancas muy adornadas, buscando cuál
será su próxima toma.

  —¿Te gusta? —le pregunta una vez más.

  —Un poco naif, ¿no? —le dice ella y lo sorprende no sólo con el comentario sino disparando la
cámara hacia él.

—¿Por qué a mí? —dice Pablo y se tapa la cara. Ella se ríe, lo fotografía otra vez y le responde:

—Porque sí.

Leonor se mueve delante de Pablo buscándole distintos ángulos, él juega a esconderse, a poner cara de tonto, a sacarle la lengua y, finalmente, le roba la cámara y le saca una foto a ella, y luego otra, y una más, hasta que Leonor termina posando frente a él con la misma naturalidad con la que Pablo Simó puede dibujar un edificio.

—¿En serio te parece naif? —repite Pablo, y cuando le devuelve la cámara se queda con su mano sobre la de Leonor un instante sin importarle si la chica descubre que es a propósito.

—Sí, en serio. No sé, ¿no es un edificio medio tonto? Si yo tuviera que elegir entre este hombre con un toro y el otro con la cabeza llena de lirios, me quedo con el otro —le dice ella.

—Pero no son hombres —le dice él—, son esculturas y mosaicos.

—Es que yo de esculturas y mosaicos no entiendo —dice ella y se lo queda mirando.

Tonto, hombre tonto, se dice Pablo antes de que se lo diga Barletta, y mientras la chica saca las últimas fotos él se detiene a observar la figura que compone la suma de los cerámicos: una mujer campesina y un hombre que arrea un animal, uno a cada lado del balcón. Faltan varios azulejos originales y se pregunta cómo puede ser que los hayan reemplazado simplemente por cerámicos lisos que interrumpen el dibujo impunemente. Leonor no parece haberlo notado. Sabe que el Tano Barletta sí habría detectado ese salto en la imagen y le molestaría tanto como a él, pero el Tano Barletta tiene la entrada prohibida a lo poco que queda de ese paseo por la ciudad. Hasta hubiera sido mejor dejar vacío el espacio del azulejo perdido, piensa, sentir que allí hay una falta que no es posible cubrir, y no el engaño de taparlo con lo que sea.

—Ya está —le dice Leonor, guarda otra vez la cámara ahora con una actitud que demuestra que no habrá más fotos por ese día, y sin mayor preámbulo, con la espontaneidad que él ya le conoce, agrega—: ¿Querés venir un rato a casa?

Pablo se queda un instante, se pregunta si habrá escuchado bien, la mira, ella está esperando una respuesta, sí, escuchó bien.

—¿Los dos? —le pregunta él, y en cuanto termina de decirlo se reprocha cómo puede él, a su edad, frente a una chica diecisiete años menor, haber dicho semejante estupidez.

—Si vos querés, sí; te estoy invitando —le dice Leonor.

Y él quiere, claro que quiere, es lo que más quiere.

13

Siguiendo las costumbres —¿de quién?— Leonor se sube al taxi primero y es por ese motivo que cuando ella le dice al conductor: "A Giribone y Virrey Loreto", Pablo Simó, que recién acaba de acomodarse en el asiento y está a punto de cerrar la puerta, sólo alcanza a oír "Loreto", y ese nombre, apenas lo que escucha, no le es suficiente para asociar el lugar adonde van con el estudio en el que trabaja. Aunque el sol se fue definitivamente por lo que queda del día, la luz artificial todavía no se enciende en las veredas y esa penumbra intermedia entre la tarde que muere y la noche que aún no llega lo hace sentir mareado. Está sentado muy cerca de ella, demasiado, y la oye respirar, y la oye reírse, y le mira los labios sin pintura; y un poco más allá de los labios, los dientes, blancos, jóvenes. Y sin dejar de mirarlos, Pablo recuerda que ella lo invitó a su casa sin especificar a qué lo invita, que no dijo "a tomar un café", "a comer algo", ni siquiera "a charlar" o "a ver una película", y esa indeterminación le produce vértigo. Él lo recuerda bien, ella sólo dijo hace apenas unos minutos: "¿Querés venir un rato a casa?". Sólo eso.

Pablo mira por la ventanilla, luego la mira a ella, que ahora cerró los ojos como si quisiera descansar de un largo día, otra vez mira por la ventanilla; le cuesta creer que viaja con esa chica hacia su casa, le cuesta imaginar qué va a pasar una vez que lleguen

allí, y como si necesitara confirmar que nada de aquello se merece, recuerda el momento fatal en que él
preguntó "¿los dos?", y eso lo hace sentirse inseguro y
tonto.

Pero a medida que se van acercando a la casa
de Leonor, Pablo distingue algunas calles, reconoce
lugares, lee carteles luminosos que ya ha leído otras
veces. Sin embargo, nada de eso llega a serle suficien-
temente familiar porque desde hace años él va a trabajar en subte, se sumerge en la esquina de su casa, atra-
viesa la ciudad bajo la tierra, hace dos combinaciones
de líneas dibujando una herradura angosta, y sale a la
superficie recién cuando llega al estudio. Nadie entiende por qué él elige ese camino, más largo que el
recorrido que podría hacer en un colectivo, pero es
el que a Pablo Simó le gusta. Entonces lo que ahora
aparece delante de sus ojos —aunque provoca en él
esa sensación que se tiene cuando alguien encuentra a
una persona que conoce de alguna parte pero que no
termina de saber de dónde— no llega a sorprenderlo,
y Pablo no logra todavía encontrar la relación que hay
entre lo que ve a través de la ventanilla y el lugar al
que se dirigen.

Otra vez la mira. Primero la cara, y como sigue
dormida o al menos con los ojos cerrados, se atreve a
bajar con los suyos por el cuello de Leonor, los pechos, su cintura, su vientre. Los muslos de ella se
aprietan dentro del jean que lleva puesto, y él ahora
sabe con certeza que quisiera desnudarlos, tocarlos,
subir con su mano por la entrepierna y quedarse ahí,
en ese lugar, tocando a esa mujer todo el tiempo que
se lo permita, mientras él siente la tensión de su sangre terca que le sube por las piernas en estampida.

Recién cuando pasan por el bar donde ella y él se encontraron por primera vez fuera del estudio, es que Pablo, definitivamente, toma conciencia de dónde está. Pero aun así, y aunque siente una leve inquietud, logra aliviarse recordando que aquel día, en ese bar donde él no suele ir, ella dijo: "Vivo acá cerca, me mudé por la zona".

El alivio dura poco. El viaje está a punto de terminar, entonces el taxi pasa por delante del estudio, disminuye la marcha, y Leonor, como si tuviera dentro una alarma, abre los ojos, mira afuera y dice:

—Unos metros más adelante.

—¿Por acá está bien? —pregunta el taxista mientras se detiene frente al edificio donde vivía Nelson Jara.

—Sí, perfecto —responde ella.

Luego la chica espera que Pablo saque el dinero para pagar el viaje, pero él no lo hace, está distraído, pensando en otra cosa, tratando de comprender si lo que sucede es producto de la casualidad o del destino. El taxista repite el valor del viaje, entonces Leonor ya no lo espera, abre la mochila y busca unos billetes, pero Pablo reacciona justo a tiempo:

—Dejá, por favor —dice y paga el viaje.

Entran al edificio, avanzan por el palier hacia el ascensor, ella se mira en el espejo, le dice algo de su pelo y se ríe; Pablo se convence de que no irán al 5° C, de que no pueden ir al 5° C, el departamento donde vivía Nelson Jara —aquel donde él, Pablo Simó, aún se reprocha no haber entrado nunca a ver la grieta en la pared de la que ese hombre tanto le habló— y trata de concentrar toda su atención en Leonor, en alguna parte del cuerpo de Leonor, en su perfume o en su olor, en lo que será tocarla, besarla, acariciarla, y se promete que Jara no arruinará ese momento. Pero cuando están dentro del ascensor ella aprieta el botón del quinto piso, y aunque al hacerlo su cuerpo lo roza y lo excita, Pablo siente que, otra vez, pelea cuerpo a cuerpo con Jara. Los pisos van quedando debajo de ellos uno a uno hasta que el ascensor se detiene en el quinto. Pablo abre la puerta, Leonor sale, el pasillo está oscuro, la chica busca a tientas el botón rojo, se tropieza con Pablo y se ríe, él se ríe también, no porque algo le haya causado gracia sino porque está nervioso, la luz se enciende, ella lo mira con cierta provocación, ¿lo mira con cierta provocación?, pasa delante de él y —aunque Pablo por dentro le pide que no lo haga, que no se pare frente a la puerta C y meta en la cerradura las llaves con las que ahora juega— Leonor se para allí de todos modos, delante de esa puerta, dándole la espalda, y él, desconcertado, la sigue, se detiene detrás de ella mientras la chica busca la cerradura, mete dentro las llaves y, como le cuesta hacerlas girar, se inclina, quiebra apenas la cintura, poco, pero lo suficiente como para que su cuerpo se acerque aún más al de él y otra vez lo roce. Luego Leonor abre la puerta y lo invita a pasar. Pablo asiente pero le indica con un gesto que lo haga ella primero, y después él la sigue.

Entran los dos, muy cerca uno del otro, ella enciende la luz, y él, de inmediato, busca la grieta en la pared. No la encuentra, ¿tal vez la taparon?, ¿hace cuánto?, ¿quién?, no sabe. Leonor le sonríe, deja la mochila a un lado, de pronto él sospecha que la grieta puede estar oculta detrás de la tela hindú que, como si fuera un tapiz o una falsa cortina, cuelga sobre la pared mediana. Leonor se saca la campera, él descubre una vez más su cuello, las manos con las que se acomoda el pelo, y sus pechos, firmes, que ahora avanzan hacia él, que definitivamente avanzan hacia él, que se paran delante de él y esperan. A Pablo se le agita aún más la respiración, se le endurecen los muslos y le cosquillean las manos; él cree que tiene que hacer algo, sabe que tiene que hacer algo, y cuando está a punto de decidir qué, Leonor lo besa. Así, simple, sin pedirle permiso: parada frente a él, mirándolo a los ojos, sonriendo, sube los brazos, rodea con ellos el cuello de Pablo, abre apenas su boca, mira la de él, espera un segundo y lo besa. Y él se deja besar, y la besa, y la abraza, aprieta el cuerpo de esa mujer contra el suyo, baja y sube sus manos por la espalda de Leonor buscando no sabe qué, siente los pechos de ella sobre el pecho de él, y la pelvis sobre su pelvis, y los muslos entre sus muslos. La besa, recorre sus labios, se mete dentro de esa boca, sale y vuelve a meterse, ¿lo hace con torpeza?, hasta que Leonor por fin se separa, y sin dejar de mirarlo, baja, se tiende sobre el piso, lo llama y le pide que se acueste sobre ella. Y cuando Pablo se acuesta y se acerca a su cara para besarla otra vez, la chica le busca con la boca el oído y le dice:

—Tercer lugar en la lista de mis cosas favoritas: hacer el amor sobre un piso de madera que huele a cera.

Entonces él se deshace sobre ella, y ella sobre el piso encerado, y parece que Pablo se hubiera podido olvidar de dónde está, de la tela que cuelga, de la pared que la tela oculta y de Jara. Pero apenas un minuto después ella lo gira hacia un lado, se pone sobre él, y ahora Pablo, desde ese lugar, acostado sobre el piso de madera, no puede evitar clavar los ojos en la pared que, de una vez por todas, tendrá que ver. Sin embargo —y contrariamente a lo que él hubiera sospechado— lo que la tela oculta lo excita más aun y mientras se mete dentro de la chica que ahora se mueve sobre él hacia adelante y hacia atrás, mientras la recorre con las manos, la muerde, la invade y la penetra, Pablo Simó piensa en esa grieta, y eso, la unión de la imagen de la pared rajada superpuesta al cuerpo tibio y sudado que se agita sobre él, hace que la tensión de su propio cuerpo llegue a un punto al que no recuerda haber llegado antes, para luego aliviarse, junto a ella.

Después de un rato de estar ahí, abrazados, Leonor se levanta y va al baño.

—Ya vengo —dice.

Pablo se queda solo, tirado en el piso, observando esa tela, examinándola, siguiendo los arabescos bordó, ocres y negros como si fueran un jeroglífico que él debe descifrar. Luego se para, sin dejar de mirarla se calza otra vez el pantalón, se sube el cierre, y aún descalzo y con el torso desnudo, se acerca a la pared. La tela cuelga de un improvisado barral hecho con una varilla de madera y unos gruesos cordones de pasamanería sujetos a dos ganchos dorados clavados en cada extremo de la pared. Pablo piensa que esa tela finge ser lo que no es, que no es ni una cortina, ni un tapiz, ni un cuadro, aunque pretenda serlo. Y si bien él sospecha lo que oculta, a pesar de lo inevitable, parado frente a esa tela, Pablo se siente extraño, incómodo y tiembla. Sin atreverse todavía a mirar, como si él y esa pared midieran fuerzas como alguna vez las midió con Jara, Pablo Simó espera, no sabe qué, una señal o un permiso, algo que finalmente lo lleve a descorrer el velo y, por fin, mirar. Da un paso más y se coloca a una distancia de la tela desde donde ya puede tocarla y eso hace, la toca, la sostiene un instante, la separa apenas unos centímetros de la pared, pasa sus dedos por el orillo sin ir todavía más allá, como si después de tres años necesitara toda esa ceremonia antes de atreverse a mirar. Porque se siente en falta, porque sabe que debió haber estado allí entonces, que debió examinar esa grieta, que debió evaluar su importancia y repararla. Pero no lo había hecho, Jara mismo le había dicho que no lo hiciera, que no hacía falta, que él lo único que quería era plata. Plata ni muerto, había contestado Borla. Y él entonces no fue.

Leonor grita desde el cuarto:

—Enseguida estoy con vos, ¿sí?

Por eso él, como si la inminencia de que ella entre allí otra vez y la proximidad de su cuerpo desnudo le pueda impedir hacer lo que de una vez por todas tiene que hacer, antes de arrepentirse, antes de salir corriendo de allí como un cobarde, levanta la tela y mira qué cosa hay detrás de ella. Y aunque se encuentra con lo que él ya sabía, lo que antes, hace tres años, no quiso ver, la pared de Jara todavía atravesada por una grieta que hasta hoy nadie reparó, algo en el recorrido que él ahora mira una y otra vez de arriba abajo, algo en ese surco, le llama la atención.

—¿Qué mirás? —le dice ella parada detrás de él, cubierta con una toalla corta que llega hasta apenas unos centímetros antes de que termine su pelvis.

Pero Pablo no contesta, sostiene la tela con una mano y la recorre con la otra, la sigue hacia arriba, hasta donde se lo permite su propia altura, y luego hacia abajo; observa el ancho, siempre parejo durante todo el recorrido; mete el dedo dentro de la grieta para estimar la profundidad —que verifica no llega a más de uno o dos centímetros—, observa con detenimiento las marcas con birome a lo largo de ella, abriendo los dedos pulgar e índice mide la distancia que hay entre cada una de esas marcas y podría jurar que es siempre la misma, ¿cinco centímetros? Y entonces ya no tiene dudas: el ancho, el recorrido y la profundidad de esa grieta están reglados, pensados, calculados, como si alguien la hubiera imaginado, dibujado, y por fin picado en la pared, para que la fisura apareciera.

—La voy a hacer arreglar cuando me sobre algo de plata, ¿no es grave, no? —pregunta Leonor.

Pablo sacude la cabeza, se sonríe con una mezcla de bronca y de admiración hacia Jara y dice:

—No, no es grave.

Pero esta vez lo dice con total seguridad. Porque ahora Pablo Simó sabe que esa grieta, la que él antes no quiso ver, la que dio origen a todo lo que Jara y su muerte trajeron de la mano, no la produjo el movimiento de suelos, ni el pozo que cavaron, ni el edificio que ellos construyeron. Él hoy sabe que esa grieta fue picada por Jara con cuidado y esmero, centímetro a centímetro, a lo largo de la pared.

Y que Jara, el hombre que él enterró aquella noche bajo la losa del edificio donde hoy trabaja, lo engañó. Que Nelson Jara, cómo no haberse dado cuenta antes, era tan canalla como él.

14

Durante los tres años que pasaron desde la noche en que enterraron a Jara bajo la losa del edificio donde hoy funciona el estudio Arquitecto Borla y Asociados, Pablo Simó armó y desarmó distintas versiones acerca de los hechos anteriores a ese entierro, hasta llegar a una versión —tal vez la última— verosímil, aunque nunca sabrá si cierta. La armó con lo que vio, escuchó, tocó y hasta con lo que olió esa noche; con lo que le dijeron Marta Horvat o el arquitecto Borla; pero también con agregados propios, basados en fuentes menos confiables aunque más intensas: deducciones, intuiciones y sospechas.

Aquella noche empezó para Pablo poco después de las tres. Laura se había quedado dormida hacía rato, y él ya estaba en la duermevela que antecede al sueño profundo cuando sonó el teléfono. Pablo se apuró a atender, sobresaltado; Laura apenas giró de lado, como si el timbre agudo de una llamada en medio de la noche no alcanzara a partir su sueño al medio, pero sí a inquietarlo. Era Marta Horvat, parecía llorar, decía cosas que Pablo no terminaba de armar en su cabeza, no sabía si porque aún no lograba despertarse, si por la confusión del discurso de Marta o por la excitación que le producía que ella lo llamara a esa hora de la noche.

—Hablale a Borla —dijo Marta—. Tenés que llamarlo a la casa, tiene el celular apagado. Decile que venga ahora mismo a la obra de Giribone.

Pablo se frotó la cara, buscó el reloj pulsera que había dejado sobre la mesa de luz no sabía cuánto tiempo antes, miró la hora, y dijo:

—¿Te parece que se lo puede llamar a la casa a esta hora?

—Yo no, pero vos sí —contestó Marta.

—¿Por qué yo sí?

—Porque la mujer no se va a poner loca si llamás vos, Pablo —dijo Marta contundente y luego ordenó—: Terminala y llamalo de una vez.

Pablo se quedó mudo, sabía que tenía que decir algo pero no supo qué. Junto a él, Laura abrió los ojos, lo miró, parecía sorprendida por verlo así en medio de la noche, con el tubo en la oreja, callado, pero cuando Pablo estaba a punto de darle a su mujer alguna explicación ella giró hacia el otro lado y se tapó con la almohada. En ese mismo momento Marta Horvat repitió lo que ya había dicho pero ahora en un tono desvalido que Pablo no recordaba haberle escuchado nunca:

—Llamalo, Pablo, por favor.

—Está bien, lo llamo, quedate tranquila —dijo él—. ¿Le adelanto algo?, ¿pasó algo grave en la obra?

—Decile que Jara... arruinó todo, y que... —se interrumpió—. Nada, decile eso y que venga pronto.

Pablo se acordó de Jara, esa tarde, sentado frente a él en la mesa de Las Violetas, decidido a lo que fuera con tal de frenar el hormigón, y se preguntó qué habría hecho para salirse con la suya; pero no llegó a pedirle detalles a Marta porque ahora ella, del otro lado del teléfono, definitivamente lloraba. Pablo hubiera querido abrazarla, apretarla contra su hombro, secarle las lágrimas de la cara una a una; decirle que la culpa de todo la había tenido él, Pablo Simó, nada más que él, que no había sabido parar a ese hombre a tiempo, que no había ido a ver la grieta como se había comprometido, y que creyó que con lo poco que había hecho iba a ser suficiente. Pero que ahora sí, ahora lo iba a hacer, sin dudas y sin errores, por ella, para que no llorara más. Pablo Simó hubiera querido hacer eso y muchas otras cosas más, sin embargo Marta Horvat no le había pedido ni ayuda ni consuelo; ella sólo necesitaba que él hiciera de intermediario en su llamado a Borla, apenas eso, un papel secundario.

Pablo se levantó y buscó la agenda; a pesar de los muchos años que hacía que trabajaban juntos, muy pocas veces había llamado a Borla a su casa y, aunque solía ser bueno para recordar de memoria números de clientes, proveedores o inmobiliarias, sabía que era imposible que le viniera a la cabeza el número de su jefe, tratándose de la hora que era y en medio del pedido urgente de Marta. Marcó desde el aparato de la cocina para no despertar a Laura; después de tres timbres atendió la mujer de Borla; se la escuchaba tan sobresaltada como había estado él unos minutos antes, cuando Marta lo había despertado.

—Hola, señora, buenas noches, disculpe que llame a esta hora, soy Pablo Simó y hablo porque… —dijo y hubiera seguido dando explicaciones pero escuchó que del otro lado la mujer, ya alejada del tubo, decía:

—Para vos, Mario.

Al principio de la charla, cuando Pablo empezó a contarle del llamado de Marta, Borla se mostró raro, reticente; Pablo sospechó que posiblemente no era la primera vez que ella lo despertaba en medio de la noche con alguna excusa. Pero cuando por fin nombró a Nelson Jara, entonces Borla pareció comprender que, al menos esta vez, el llamado era en serio.

—Qué hijo de puta —dijo Borla, más para él que para Pablo—. Voy para la obra, gracias —Y luego cortó.

Ya estaba hecho, ya había cumplido con su parte del asunto. Hoy se reprocha por qué simplemente no hizo sólo eso, lo que Marta le había pedido, manteniéndose en su papel secundario, por qué luego de cumplir llamando a Borla no volvió a la cama junto a su mujer. Pero aquella noche ya no era posible dormir, y los reproches fueron otros. Se reprochó no haber sabido manejar a Jara. Se reprochó cada una de las cosas que ahora se daba cuenta de que debía haberle dicho a Marta antes de cortar. Incluso podría haber reaccionado después del impacto de su llamado y revertir la situación cuando habló con Borla, haberle dicho: ¿Querés que te acompañe?, ¿querés que te alcance en Giribone por si necesitás alguna ayuda?, ¿querés que vaya yo en lugar de vos?, ¿para qué molestarte en medio de la noche?, dejame a mí que conozco a Jara y puedo manejar la situación. Pero ahí estaba la clave que daba por tierra con cualquiera de sus intentos tardíos de aportar algo a la resolución de un problema que se extendía sin remedio en el tiempo: él no había sido capaz de manejar a Jara y sabía que en algún momento, la mañana siguiente, el día siguiente, cuando la cosa se hubiera calmado, Marta y Borla se lo echarían en cara.

Caminó por la casa, fue y vino de la cocina a los dormitorios una cantidad incontable de veces; se metió en el cuarto de Francisca y se quedó mirando a su hija dormida; marcó el número del celular de Marta pero antes de que sonara colgó; prendió el televisor del living, pasó de un canal a otro sin ver nada; marcó otra vez el celular de Marta, lo atendió el contestador pero no dejó mensaje; se hizo un café, lo bebió mirando la calle a través de la ventana empañada que antes había limpiado con la mano y luego con la cortina de *voile* —cosa que Laura le habría impedido de haberlo visto— hasta dejar el vidrio totalmente transparente; lavó la taza; marcó otra vez el celular de Marta y otra vez lo atendió el contestador; volvió a entrar en el cuarto de Francisca y luego en el suyo: su hija y su mujer dormían; se vistió con la misma ropa que se había sacado la noche anterior, buscó su lápiz Caran d'Ache en el bolsillo del saco, arrancó una hoja de su libreta de hojas lisas y escribió una nota para Laura, explicándole que había habido un problema en una obra y que salía más temprano que de costumbre, tanto más temprano como que eran casi las cuatro de la mañana, aunque eso, el detalle de la hora, no lo escribió.

Bajó a la calle, fue hasta la boca de subte pero, al llegar, la puerta metálica y el candado le recordaron que hacía horas que había pasado el último tren y que faltaba un buen rato para que pasara el primero de la mañana. Miró la calle frente a él: a esa hora Rivadavia parecía otra, desierta, silenciosa; detuvo el primer taxi que pasó, una vez sentado dentro se dio cuenta de que el coche no le gustaba —era viejo, desprolijo, el cartel con los datos del conductor se veía borroso, cubierto por un plástico ajado, sucio de pegote y polvo— pero no se atrevió a bajarse y esperar otro, y resignado dijo:

—A la calle Giribone.

Cuando el taxista le pidió la altura, Pablo le indicó parar dos cuadras antes de la obra donde Marta estaba llorando —según él creía todavía— porque Jara había logrado evitar que se cimentara la losa. Aún no estaba seguro de qué iba a hacer, si simplemente espiaría de lejos o si se atrevería a presentarse y ofrecer su ayuda a pesar de los fracasos conseguidos hasta el momento.

Se bajó del taxi y empezó a caminar, la calle estaba mal iluminada y recién cuando Pablo se encontró a veinte metros pudo confirmar que el auto estacionado frente a la entrada era el de Borla. Se paró junto al cerco de la obra, se apoyó intentando escuchar algo que pudiera indicarle qué estaba sucediendo y esperó. Incluso detrás de ese cerco de madera se podía oler la tierra mojada. A lo lejos, casi imperceptible, le pareció escuchar la voz de Marta, más que su voz su llanto entrecortado, como un hipo angustiado que cada tanto se imponía sobre otro sonido más nítido y contundente: el de un chorro de agua que fluía en alguna parte, a borbotones. Empujó la puerta, estaba abierta, pateó algo duro, se agachó a levantarlo, era el candado con el que se trababa todas las noches la puerta de entrada. Apenas empezó a caminar sintió cómo sus zapatos se hundían en el barro. En la oscuridad de la noche no pudo ver a nadie, el sonido del chorro de agua se hacía cada vez más intenso a medida que avanzaba y el llanto de Marta parecía haber desaparecido, ¿o antes, cuando creyó oírlo, lo había inventado? Metió el pie en un charco profundo y sintió cómo el líquido lo empujaba hacia fuera, cómo las burbujas hinchaban la superficie del agua y luego reventaban al lado de su zapato, debajo de su zapato, delante de su zapato. A un costado del charco había una pala clavada en el suelo como la bandera que clava un escalador cuando llega a la cima de la montaña que quería vencer; alguien —Jara, quién otro— había cavado con ella hasta encontrar el caño de suministro de agua corriente y lo había partido. Otra vez se acordó de Jara la tarde anterior en Las Violetas, cuando le había dicho: "Entonces, si tiene que llover, va a llover, Simó".

Como un manantial, el agua brotaba y se desparramaba por la superficie, para por fin drenar hacia el pozo. Pablo levantó la vista y buscó la ventana de Jara; no estaba iluminada pero aun así esperó, como si el hombre pudiera asomarse en cualquier momento por detrás de la cortina. ¿Podría ser que Jara, después de inundar el terreno, se hubiera ido y ahora los estuviera observando desde allí, disfrutando las consecuencias de sus actos? Pensó que tal vez sí, que Jara era capaz de eso y de mucho más, pero pronto sabría que se equivocaba.

Dio unos pasos más y salió del centro del charco. Primero encontró a Marta, arrodillada detrás de una columna, la ropa embarrada, las manos también, agarrándose la cara sin importarle su estado, moviendo la cabeza a un lado y a otro como diciendo que no, que no era cierto, que no podía ser. Y Borla, un metro más allá, con la vista perdida dentro del pozo. Una bombita eléctrica que colgaba dentro del obrador iluminaba parcialmente el lugar; a Pablo le extrañó que el obrador estuviera abierto, la puerta parecía haber sido forzada y el sereno no se veía por ninguna parte; una radio mal sintonizada emitía sonidos indescifrables desde adentro, y sobre una mesa y dos banquitos improvisados con ladrillos quedaban los restos de una cena para dos: una caja de pizza con algunas porciones, dos pedazos de cartón que debían haber hecho de platos, dos vasos de plástico y dos botellas de vino tinto: una vacía, otra descorchada pero casi sin tomar. Pablo se acercó, se paró junto a Marta y esperó su reacción; cuando vio que ella no se sorprendía ni se enojaba por su presencia, le dijo:

—No te preocupes, Marta, a primera hora reparamos la cañería y si el tiempo nos ayuda mañana cimentamos a pesar de Jara.

Ella levantó la cabeza y lo miró directo a los ojos; ahora sí parecía enojada, pero no con él, ¿enojada con el destrozo que había producido Jara? O más aún, arrasada, como si ése no fuese el terreno de un edificio en construcción sino el campo de una batalla que acababa de perder. Marta se quedó un rato así, observándolo con ojos perdidos, a medio camino entre explotar en un grito o volver a llorar. Y luego, intentando hablar mientras los dientes se le golpeaban unos con otros en medio de un temblor producido más por el espanto que por el frío de la noche, dijo:

—Por qué no mirás adentro del pozo.

Pablo sintió temor; supo que lo que Marta acababa de decir tenía un sentido que no alcanzaba a descifrar; que ella, cuando decía "por qué no mirás adentro del pozo", no se refería a que ahí él encontraría más barro y agua. Avanzó hasta donde estaba Borla, casi al borde de la tierra abierta.

—Hola —dijo Pablo.

—Ah, Pablo —Borla no pareció sorprenderse—. Mejor que viniste, solo no voy a poder —dijo y cabeceó hacia adelante señalando un punto adentro del pozo, no demasiado lejos de donde estaban.

Pablo trató de acomodar los ojos a la falta de luz, y cuando pudo enfocar entendió lo que pasaba: seis metros más abajo colgaba un cuerpo sobre su espalda, como el mantel que cubre una mesa, sostenido por los pelos de hierro del encofrado de una de las zapatas abiertas en el pozo a la espera del hormigón.

—¿Jara? —preguntó aunque sabía la respuesta.

—Jara, sí —le contestó Borla.

—¿Qué pasó?

—Se resbaló… Discutía con Marta, loco, desencajado, y se resbaló.

Como si oír su nombre la hubiese provocado, Marta se puso a llorar otra vez y con más intensidad. Pablo se dio vuelta para mirarla; ahora a ella le temblaba todo el cuerpo, sin parar, y se agarraba la cabeza.

—¿Llamaron a una ambulancia? —preguntó él.

—Está muerto, Pablo, ¿te parece que hace falta que venga una ambulancia? —preguntó Borla.

—¿Y a la policía? —insistió él.

Borla se dio vuelta, lo miró, y luego habló pausado, como si lo que quería decir fuera algo que enunciaba en ese momento pero que ya había decidido con anterioridad a la llegada de Pablo:

—No sé, lo iba a hacer, estaba justo por llamar cuando llegaste, pero me quedé pensando si era lo mejor, ¿vos qué decís? —le preguntó pero no esperó a que Pablo contestara—. ¿Sabés cuántos días nos van a clausurar la obra por un accidente como éste? Míni mo un mes, dos meses. Olvidémonos de cumplir con las fechas, con los compromisos, y menos que menos con nuestros propios sueldos. Vos sabés perfectamente que si no hay edificio empezado para mostrar, es mucho más difícil vender. No quiero ni pensar, pero si sale a la luz que alguien murió en este lugar los supersticiosos no van a querer comprar acá, hay tantos otros edificios hoy en Buenos Aires, ¿por qué elegir uno donde se mató un hombre? Y si no podemos vender pronto, Pablo, vos sabés lo que pasa, se nos corta el flujo financiero, esta vez nos metimos en demasiadas cosas, no tenemos resto.

Borla se quedó callado un instante, dejando espacio para que Pablo digiriera lo que él acababa de decirle, pero más que nada con la evidente intención de que tomara como propia una idea que no le pertenecía. Luego, cuando creyó que había pasado el tiempo necesario, le preguntó otra vez, como si su opinión de verdad le importara:

—¿Qué hacemos?, ¿a vos qué te parece?

Pero Pablo aún no se decidía. Entonces Borla fue por más:

—A mí la que me preocupa es ella —Y señaló a Marta Horvat—. La van a detener, por más que les expliquemos que el tipo era un hijo de puta, que nos extorsionaba, que armó todo este quilombo para sacarnos guita. ¿Sabés qué hizo?, se hizo el amigo del sereno, se le apareció con la radio para escuchar el partido de la selección contra Brasil, trajo una pizza, vino, y cuando el tipo se descuidó lo dejó encerrado en el obrador. Decí que por suerte el sereno tenía el celular encima y llamó a Marta, y ella te llamó a vos y vos a mí. Bueno, ya sabés esa parte. Cuando llegó Marta,

Jara ya había roto el caño de suministro con una pala de azada y esto era el barrial que ves. Yo intenté cerrar el paso general de agua en la calle, pero no tenía herramientas adecuadas y no pude; mañana a primera hora hay que hacer venir una cuadrilla.

Borla se tomó un instante para mirar a su alrededor y para que Pablo hiciera lo mismo. Y después dijo:

—Marta dice que parecía poseído, que cuando ella llegó Jara levantaba la pala como si fuera un trofeo, y se reía como un chico, o como un loco. Yo me lo puedo imaginar, ¿vos no?

Pablo asintió con la cabeza. Borla siguió:

—Le pidió guita, ¿sabés cuánto le pidió? Treinta mil dólares... ¡Treinta mil dólares, viejo caradura! ¿A vos te había hablado de tanta plata?

—Me habló de plata, pero nunca dijo cuánto.

—Bueno, esta noche sí dijo lo que quería, con todas las letras. Ahora decime, Pablo, ¿te parece que nosotros nos tenemos que comer este garrón cuando todo, absolutamente todo, es culpa de él?

—No sé —dijo Pablo—, yo creo que igual la policía...

—La policía qué... ¿de verdad te parece que la policía hace falta? —preguntó, y luego de una pausa dijo—: Para colmo la quiso tocar. Pablo, ese viejo de mierda la quiso tocar a Marta.

—¿Jara?

—Sí, Jara.

Pablo podía imaginarse a Nelson Jara saltando con una pala después de romper un caño de agua, pero le resultaba difícil imaginar a ese hombre tratando de tocar a Marta. Nunca había mostrado indicio

alguno de que Marta Horvat le interesara o le parecie-
ra atractiva, ni siquiera había hecho ninguno de esos
chistes que tantas veces les había escuchado Pablo a
otros hombres acerca de una mujer fatalmente linda
como ella. Jara más bien parecía un hombre anodino,
que alguna vez supo lo que era estar con una mujer,
pero para quien el sexo hacía rato que había dejado de
estar entre sus prioridades. La única prioridad de Jara
era cobrar el dinero que consideraba que ellos le
debían por la grieta que había aparecido en su pared
—¿treinta mil dólares les había pedido?— y para eso
no hacía falta tocar a Marta Horvat. Pablo la miró una
vez más: ella ahora lloraba como una nena abrazada a
sus rodillas, mientras sin soltar sus piernas se hacía sonar los dedos de una mano con la otra. ¿Podía ser cierto? Le costaba creerlo, pero si lo era, si Jara de verdad
había manoseado a Marta o lo había intentado, él mismo, Pablo Simó, si estuviera vivo, lo mataría.

Borla bajó la voz, Pablo supuso que con la intención de proteger a Marta:

—La tocó, y cuando se la estaba llevando no
sé a dónde, ella intentó zafarse, y el tipo se resbaló y se
cayó en el pozo. Yo no dejo de pensar, y no creo que
nadie me pueda juzgar por eso, que en realidad fue una
suerte que este hombre se cayera antes de poder hacerle a Marta lo que ninguno de los dos le habríamos
perdonado.

Ninguno de los dos. A Pablo le sorprendió la
certeza con la que Borla lo incluyó entre los defenso-
res de la intimidad de Marta, pero no dejaba de ser
cierto: él no lo habría perdonado. Buscó en las paredes de barro del pozo las marcas del cuerpo de Jara, la
patinada, el surco dejado por sus pies mientras resba-

laba; quiso imaginar la caída, el golpe, la muerte. La luz era mala, el agua seguía barriendo todo, y supuso que fue por eso que no pudo encontrar marca alguna.

—Te pregunto otra vez, ¿la policía para qué? Nosotros sabemos que fue un accidente protagonizado por un tipo de mierda, por un tipo que estuvo a punto de violar a Marta. Pero eso no cambia nada: ni los tiempos que va a estar parada la obra, ni las supersticiones de la gente, ni la policía, ni los problemas que todo esto le podría traer a ella. Andá vos a explicarle a la cana eso y comete los días que te toquen adentro hasta que puedan comprobar que no mentís, que fue un accidente y que, de última, fue en defensa propia. ¿Te la imaginás a Marta metida en una cárcel?

Y Pablo no pudo imaginarla, no quiso. Borla encendió un cigarrillo y luego le preguntó:

—¿Este tipo tiene familia?

—Supongo que no. Me dijo alguna vez que vivía solo —y Pablo no dio más explicaciones pero recordó los cálculos que esa misma tarde había hecho Jara acerca de cuánto gastaban cada uno de ellos en la factura de la luz.

—Eso es bueno, Pablo, que no tenga parientes es bueno. Nos deja más libertad de acción.

—Vos estás pensando…

—Sí… yo estoy pensando que dadas las circunstancias lo mejor es que Jara desaparezca sin dejar rastro. Elegir el otro camino, el de enfrentar la situación y decir la verdad, lo llevaría a este hombre al mismo lugar, pero a nosotros no, o al menos no sin antes pagar un costo muy alto. No será difícil meterlo en medio de esa zapata, ¿no te parece?, y que mañana, a la tarde, cuando por fin este barro se seque, el hormigón sepulte a este tipo de una vez. Otro tipo de entierro, pero en definitiva… ¿Vos qué decís?

—No sé —contestó Pablo.

—No podés no saber, no hay otra, Pablo. El tipo está muerto, fue un accidente, no tiene familia, nadie lo va a ir a buscar abajo del hormigón. Vos y yo tenemos que tomar esta decisión, nos tocó estar acá, qué le vamos a hacer; no se puede salir siempre ileso de todas, a veces la vida te pone en lugares donde tenés que decidir de qué lado estás. ¿De qué lado estás, Pablo?

Y Pablo Simó decidió, esa noche, que estaba del lado de Marta, de qué otro lado podía estar. Si Marta Horvat lo necesitaba, él iba a estar junto a ella, por eso dijo:

—Está bien, metámoslo en la zapata.

—Bien, Pablo, eso es lo correcto. No hay más testigos que nosotros tres de lo que hagamos, así que en ese sentido nos podemos quedar bien tranquilos.

—¿Y el sereno?

—No sabe nada, o al menos nada del accidente. Le abrimos la puerta del obrador cuando Jara ya se había caído, y con el susto que tenía apenas si pudo subir al taxi que le pedí; además es consciente de que en parte la culpa es suya, o no sé si lo es pero yo me encargué de aclarárselo bien: él le abrió a Jara para que terminara haciendo este desastre, él aceptó la pizza, él transó para escuchar un partido de mierda de las eliminatorias y tomó vino. Cuando ya estaba subido al taxi le hice bajar la ventanilla, ¿y sabés qué le dije?, le dije: "Tuviste suerte de que Jara se fue sin lastimar a nadie, pero mañana vamos a hablar de quién se va a hacer cargo del costo de todos estos destrozos". Mirá,

Pablo, si yo conozco a esta gente después de tantos años de profesión, acordate de lo que te digo: este tipo no aparece más por acá.

Pablo ya había dicho que sí, pero sin embargo no estaba del todo convencido de lo que en unos minutos más iba a hacer. Entonces, como si hubiera intuido sus dudas, Marta se levantó y, con dificultad, caminó los pasos que los separaban. Ya muy cerca de él le preguntó:

—¿Cuento con vos, Pablo?

Marta Horvat esperó su respuesta parada en medio de lo que parecía un chiquero. Las lágrimas y el barro habían hecho un enchastre en su cara; sin embargo, aun así Pablo la veía tan linda como siempre, casi más linda, como si la adversidad de esa noche le hubiera hecho perder la dureza de algunos de sus rasgos.

—Sí, podés contar conmigo, claro —dijo y selló el pacto que lo acompañaría de ahí en más.

Luego fue al obrador a buscar una escalera; mientras lo hacía intentó no detenerse a mirar las porciones frías de pizza a medio comer, ni los vasos con restos de vino. En cambio sí se acercó a la radio de Jara, la sostuvo un rato y luego la apagó. Cuando salió con la escalera, Borla, agachado junto a Marta, le acariciaba el pelo. Pablo esperó de espaldas a ellos, hasta que Borla la dejó y vino con él a terminar lo que habían decidido hacer. Entre los dos colocaron la escalera sin pensar en la ubicación del cuerpo de Jara sino eligiendo la esquina del pozo más lejana a la pérdida de agua, de manera que el suelo estuviera lo menos blando posible. Primero bajó Borla, después él, pero caminaron juntos los pasos que los separaban de la zapata en donde colgaba Jara, y antes de atreverse a tocar el cuerpo se lo quedaron mirando, en silencio, como si contemplarlo una última vez fuera parte de la ceremonia del entierro. Por fin Pablo dijo:

—¿Estás seguro de que está muerto?

—Sí —dijo Borla terminante, tratando de no dejar lugar a dudas—. Vos agarralo de los pies.

—¿Y si está desmayado? —insistió él.

Borla pareció molestarse, se quedó pensando un instante, estuvo a punto de decir algo pero finalmente se estiró para agarrar uno de los brazos de Jara, le tomó el pulso mirando a Pablo fijo a los ojos y dijo:

—Muerto.

Luego, sin soltar ese brazo le agarró el otro, se paró, y ordenó:

—Terminemos con esto de una vez —entonces Borla tiró de los brazos para empujar el cuerpo de Jara hacia el suyo de modo de poder tomarlo por las axilas. Y repitió—: Dale, agarralo de los pies.

Las primeras luces del día empezaron a aparecer detrás de los edificios vecinos; un resplandor los iluminó, el mismo que en pocos minutos entraría por la ventana de Jara. Pablo se obligó a mirar por última vez la cara de ese hombre, tenía una mancha en la frente, los ojos abiertos, muy grandes, y la boca en un gesto que parecía haber sido cortado en pleno movimiento, como si Nelson Jara hubiera muerto mientras decía algo. Borla arrastró el cuerpo para acomodarlo en el hueco de la zapata.

—Vení para este lado —le dijo a Pablo— y después largalo.

Pero aunque Pablo lo corrió tal como le pidió Borla, no pudo soltarlo. Un rayo de luz oblicuo que parecía caer justo sobre la cara del muerto hizo que Pablo viera lo que hasta entonces le había parecido una mancha sin importancia: Jara tenía un golpe en la frente, una herida, y algo oscuro que parecía sangre.

—Largalo, Pablo —volvió a decir otra vez Borla, pero él sólo podía pensar en lo que acababa de ver—. ¿Qué pasa, viejo?

—La frente —dijo él, y tuvo la sensación de que Borla sabía de qué le hablaba.

—Largalo ya, de una vez, Pablo. Largalo, te digo.

Ante su inmovilidad, Borla soltó el cuerpo. Las manos de Pablo, firmes, tensas, aferradas como garras a los tobillos de Jara, no pudieron con el peso muerto, y aunque Pablo Simó hubiera querido sostenerlo, aunque lo intentó —o al menos eso cree y así lo incluye en la versión final de aquella noche—, el cuerpo embarrado se le escurrió mientras él sentía cómo iba perdiendo esa piel sucia, las viejas medias de nylon y los feos zapatos con repulgue que él tan bien conocía; hasta que Jara finalmente cayó al fondo de la zapata, casi sin hacer ruido, deslizándose por las paredes, sin dejar otra marca que barro en las manos sucias de Pablo, esas manos sucias que latían por el esfuerzo inútil que acababan de intentar.

—Listo —dijo Borla con alivio.

—La frente —volvió a decir Pablo.

Borla no lo escuchó, ya no estaba junto a él sino en la escalera, subiendo. Pablo Simó se tomó unos instantes más junto a lo que terminó siendo una tumba, y luego lo siguió. Una vez arriba vio cómo Marta Horvat abrazaba a Borla, ya no lloraba aunque todavía temblaba.

—Ya está, Marta, tranquila, ya está —la consolaba Borla, y mientras la mantenía abrazada le dijo a Pablo—. Sería bueno emprolijar un poco las cosas. No sé, tirarle tierra encima, dejar la escalera donde estaba, limpiar los restos de comida del obrador, ¿no te parece?

Pablo fue por la pala, bajó otra vez al pozo y tiró barro dentro de la zapata. No fueron tantos movimientos, pero lo hizo con energía, casi con violencia, y apretó con tanta fuerza el mango de madera que le dolieron los nudillos. Luego volvió sobre sus pasos, subió, alzó la escalera y desde el borde se quedó mirando el pozo, totalmente iluminado a esa hora de la madrugada por el sol que empezaba a aparecer. Lo miró con detenimiento, aunque entonces ya no hubiera nada que ver allí más que barro, zapatas, encofrados y pisadas que el agua seguía borrando.

—Mejor nos vamos a bañar y volvemos antes de que llegue el resto de la gente —indicó Borla—. Pablo, en cuanto puedas volver, te quiero parado junto a esa zapata, que nadie más que vos se acerque a dos metros de ahí hasta que se seque todo y vuelquen el hormigón. Y vos, Marta, quedate en tu casa mañana…

—No, yo quiero estar acá —dijo ella.

—Primero descansá, que nosotros vamos a hacer que todo termine bien, te lo prometo. Vení a la tarde, total esto no va a secar por lo menos hasta después del mediodía. No quiero que nadie note que te pasó algo —insistió Borla.

Marta no dijo nada pero pareció entender. Cada uno volvió a lo suyo: Borla la llevaría al auto, ella se dejaría llevar, Pablo se encargaría de hacer desaparecer la pizza, el vino y la radio de Jara.

—Pero apurate con la limpieza, Pablo, que yo mismo te voy a tener que llevar a tu casa. En ese estado no te va a levantar ningún taxi.

Antes de salir hacia el auto de Borla, Marta se acercó a Pablo y le dijo:

—Gracias.

Él se quedó mirando sus ojos otra vez llenos de lágrimas, la remera mojada que se le pegaba al cuerpo, los pezones, los pechos que se elevaban en un suspiro profundo, y la mano embarrada de Borla que otra vez se llevaba a Marta sostenida por el hombro. Ella hizo sonar sus dedos una vez más y luego dijo:

—De verdad, gracias.

Pablo le sonrió como pudo: le costaba decir algo lúcido entre su propio cansancio, el llanto de Marta y la sensación extraña de no poder definir si acababa de participar en un crimen o en un acto heroico.

—Está bien, no te preocupes, hicimos lo que había que hacer —le dijo por fin a esa mujer a la que había deseado tantas veces y que en ese momento, en esa noche, aún deseaba.

Pero ni bien ella desapareció detrás del cerco de obra, Pablo dudó de lo que él mismo acababa de decir. ¿Hicimos lo que había que hacer? Y tal como se lo preguntó por primera vez aquella noche, se lo siguió preguntando hasta hoy sin encontrar una respuesta que lo satisfaga. Sin embargo, entonces igual que ahora, ya estaba hecho: ya había dicho que sí, ya había traído la escalera y bajado al pozo con Borla, ya había levantado a Nelson Jara por los pies para después dejar que se le escurriera dentro de una zapata. Y además, como si todo eso hubiera sido poco, él mismo se ocupaba ahora de que las cosas volvieran a la normalidad mientras Marta y Borla lo esperaban en el auto, tal vez abrazados, tal vez besándose.

Tiró en el volquete los restos de la cena: la pizza, los vasos, la botella vacía y la llena, la radio de Jara. La radio no; ni bien dio dos pasos se arrepintió y volvió por ella decidido a embocarla desde el borde del pozo dentro de la zapata para que Jara se llevara algo suyo con él. Metió la mano en el volquete y hurgó, tocó la pizza, una de las botellas de vino, y un poco más allá lo que creyó que era la radio de Jara. La levantó y se encontró con que no era su radio sino un martillo; Pablo Simó estaba a punto de devolverlo al volquete cuando sintió algo pegajoso que intuyó que no era barro. Miró el martillo, luego sus dedos sucios, luego el martillo otra vez: no había dudas, era sangre.

Pablo caminó unos pasos, se agachó junto al caño roto, lavó el martillo hasta que ya no hubo rastros de sangre, lo secó con su propia remera y recién entonces, cuando ya no quedaba mancha, lo guardó en el obrador, de donde aquella noche no debería haber salido.

Y se fue.

15

—¿Qué es esto? ¿Qué hacés acá?

Eso dice Pablo Simó, ni bien da la espalda a la grieta de Jara y queda frente a Leonor.

—¿Quién sos? —pregunta él.

—¿Cómo? —le dice ella.

Pablo la mira, no le contesta, y de pronto, desafiante, da los pasos necesarios para llegar a la mochila de Leonor, la abre, y revuelve dentro como si supiera muy bien lo que busca. La cámara de fotos se le resbala y está a punto de caerse al suelo pero Pablo logra atajarla y meterla otra vez en la mochila.

—¿Qué hacés? —le dice ahora ella y se acerca para detenerlo.

Leonor logra quitarle la mochila, saca la cámara de fotos y verifica que esté bien; pero Pablo se queda con su billetera, se aparta de la chica y la revisa. Ella lo sigue.

—Estás loco, ¿me podés decir qué te pasa?

Pablo encuentra billetes, una tarjeta de teléfono, un blíster con pastillas pequeñas, ¿anticonceptivos?, *tickets* de compra. Descarta todo menos la cédula. Leonor intenta recuperar su billetera; él la agarra de la muñeca y le dice:

—¿Quién sos? ¿Sos la hija, no es cierto?

—¿La hija de quién?

—La hija de Jara.

Leonor no contesta. Él insiste:

—¿Sos la hija o no?

—No, no soy la hija de Jara. Y devolveme mis cosas —le exige Leonor pero Pablo no lo hace, acerca la cédula a sus ojos y lee:

—Leonor Corell —dice y la mira—. ¿Quién sos entonces?

—¿Qué más necesitás que te diga si tenés mi cédula en la mano?

—¿Por qué vivís en este departamento?

—Porque es mío.

—¿Lo heredaste?

—Algo así…

—¿Qué eras de Jara?

—Nada que a vos te importe.

—¿Una sobrina?

—No.

—¿Qué entonces?, ¿su amante?

—Sos un imbécil.

—Yo seré un imbécil pero vos contestame.

—¿Y por qué tendría que hacerlo?

Pablo hace una pausa deliberada, la mira y luego dice:

—Porque te mentí…

—¿Me mentiste en qué?

—En que no sé nada de Nelson Jara. Sí sé, siempre supe, y por supuesto sabía también el día que viniste a preguntar por él.

—¿Y qué es lo que sabés?

Él fuerza otra pausa antes de contestar, ella se molesta.

—¿Me podés decir qué sabés?

—Sé dónde está.

—¿Dónde está?

—Antes contame vos por qué vivís acá.

—¿Va a volver?

—No, supongo que no.

—¿Sabe que yo vivo acá?

—No.

—¿Le vas a decir?

—No, si vos y yo llegamos a un buen acuerdo —dice Pablo y ahora sí le devuelve la billetera y la cédula.

—¿Y cómo sería un buen acuerdo entre vos y yo?

—Uno en que los dos saquemos alguna ventaja.

—Por ejemplo...

—Yo por mi parte quiero que me contestes lo que ya te pregunté: quién sos, por qué estás viviendo en este departamento, por qué fuiste al estudio a preguntar por Jara.

—¿Y cuál sería la ventaja para mí?

—Yo me comprometo a no decirle ni a Jara ni a nadie que vos vivís acá.

—¿Se fue del país?

—Eso no importa.

—¿Por qué no siguió pagando los gastos del departamento?

—Supongo que creyó que le iba a terminar dando más gastos de los que podía llegar a recuperar. Este departamento no vale mucho.

—Podría haberlo alquilado.

—Podría, sí. Si supiera que vos estás metida dentro, podría hasta cobrarte ese alquiler a vos.

—¿Se lo vas a decir?

—No, yo te acabo de proponer un pacto.

Leonor lo mira, se acomoda la toalla que se fue deslizando con tanta pelea y dejó al descubierto uno de sus pezones. Los dos se quedan un instante así, mirándose en silencio. Y eso hace que Pablo, ahora, en lugar de pensar en Jara, piense en que con sólo extender la mano podría hacer que caiga esa toalla y acariciar el cuerpo otra vez desnudo de Leonor, tocar sus pechos, sentir cómo se endurecen los pezones de la chica en el contacto con su mano, bajar hasta el vientre, buscar el camino que lo lleve otra vez a su entrepierna, quedarse allí un tiempo indefinido hasta por fin abandonarse con ella, olvidar la grieta de Jara y volver a ser el que fue hace apenas un rato, tal vez por primera y única vez. Pero la mira a los ojos e intuye que Leonor no está pensando en ninguna de las cosas en las que él piensa sino en que Nelson Jara podría quitarle el lugar donde vive.

—¿Por qué tendría que confiar en vos?

—Porque no tenés muchas alternativas. Yo sé que estás metida en un departamento que no es tuyo, y eso sólo ya es más información de la que hubieras querido darme. El resto no cambia nada, por qué, cómo, es todo anecdótico, tomalo como un capricho mío, quiero entender qué pasó.

Ella lo mira como si estuviera midiendo fuerzas con él. Luego dice:

—Está bien, tenés razón, con lo que ya sabés podrías hacer un desastre.

—Podría, sí…

—¿El acuerdo sigue en pie?

—Sigue en pie.

—Bueno —dice ella y se agacha a juntar los billetes, el blíster de pastillas y la tarjeta de teléfono.

Pablo la mira: Leonor en cuclillas, sosteniendo la toalla para que no se suelte, sus piernas flexionadas,

la columna que recorre la espalda curvada, cada una
de sus vértebras, un lunar importante debajo de su última costilla, hasta imagina los dos puntos que mar-
can el comienzo del sacro y que la toalla le impide ver.
La chica termina de meter las cosas dentro de la billetera y se para. Tiene en la mano los *tickets* de compra,
los mira, los hace un bollo y los tira sobre la mesa. Pablo la mira con el mismo deseo con el que la miraba
un rato atrás cuando se deshacían sobre el piso de madera que huele a cera. Ella se da cuenta y le dice:

—¿Te molesta si antes de seguir con esto me
visto?

—No, claro, vestite.

—Ahora vengo —dice y sale.

Pablo se queda solo. Mira cada cosa a su alrededor con la vergüenza de sentir que, sea cual fuere el
motivo por el que Leonor esté allí, él acaba de repre-
sentar un mal papel delante de ella. Se pregunta si esa
mesa sería la mesa de Jara, si esas sillas serían aquellas
donde él se sentaba, si la acuarela que cuelga junto a
la puerta de entrada habría sido también de él o la
habría traído Leonor cuando fue a vivir allí. Luego
vuelve a la grieta. Se para delante, levanta la tela, observa la rajadura en la pared, la toca otra vez, la recorre con un dedo, y mientras lo hace no puede evitar
sonreírse con la misma sensación de tonta derrota que
tendría si un amigo acabara de ganarle el último punto de un partido de truco con dos cuatros y un caballo. Pablo, ahora, con las cartas sobre la mesa y el partido perdido, sabe que la grieta nunca existió, que eso
que Jara fotografió y que ahora tiene frente a él fue picado deliberadamente en la pared centímetro a centímetro. Sabe, por fin, hoy, tres años después, que Nel-

son Jara era tan canalla como él. Y al darse cuenta de esto, al pensar "un viejo canalla como yo", sonríe una vez más. Sin embargo, aun después de esa revelación, el peso que lo acompaña desde aquella noche en que dejó caer el cuerpo muerto de Jara en una zapata para que el hormigón lo sepultara no desaparece. Pablo Simó no se alivia sino todo lo contrario, porque lo que acaba de comprobar, en lugar de ser un atenuante para lo que entonces hizo, le hace creer —equivocado o no— que él y Nelson Jara no estaban tan lejos uno del otro. Por eso hoy Pablo se imagina tres años atrás, entrando en ese departamento, con Jara todavía vivo, a cumplir con lo que debería haber hecho: evaluar personalmente la grieta.

Si lo hubiera hecho, si hubiera ido, al tocarla, al darse cuenta de que ese surco no lo había trazado ningún movimiento de suelos sino la mano de un hombre, de ese hombre que entonces habría estado a su espalda esperando el veredicto, Pablo Simó habría girado sobre sus pies, lo habría mirado a la cara y le habría dicho: Vos sos un canalla, Jara. Pero no se habría enojado, se habría reído, y Nelson Jara, que en un principio habría intentado negar todo, cedería ahora ante la evidencia y, sobre todo, ante la risa de Pablo, y se reiría también, tomarían juntos una cerveza y acordarían cómo él, Pablo Simó, luego de decidir esta vez ponerse del lado al que pertenecía, lo ayudaría a conseguir lo que ese otro canalla quería.

Entonces Leonor regresa, con una gaseosa y dos vasos, trae puestos —como siempre— un jean y una remera blanca, pero sigue descalza como él. Pablo recoge su remera y también se la pone mientras ella deja lo que trae sobre la mesa, se sienta y le pregunta ofreciéndole la bebida:

—¿Querés?

—Bueno —dice él y se sienta también, frente a ella.

Al hacerlo, el pie desnudo de Pablo roza el de Leonor y él percibe cómo ella aparta el suyo apenas él lo toca. ¿Habrá echado a perder todo?, se lamenta. Y se pregunta de inmediato qué habría llegado a ser "todo" si no lo hubiera echado ya a perder. ¿Era necesario mirar atrás de la tela ese mismo día? ¿Era necesario presionar a Leonor para que hablase? ¿Era necesario portarse con una violencia que él no cree tener, revolver sus cosas, increparla? Pablo se responde que tal vez no habrían sido necesarias ninguna de esas cosas aunque sí inevitables, y sospecha —con un alto grado de certeza— que él saldrá de esa casa con algunas respuestas pero sin Leonor.

Los dos beben y se miran por encima de los vasos.

—¿Me voy a arrepentir de haber confiado en vos? —le pregunta ella.

—No creo.

—Mirá que si me traicionás, no voy a tener piedad.

—No te voy a traicionar —dice él y trata de imaginarse qué será "no tener piedad" para esa chica.

Ella lo mira mientras toma otro sorbo de gaseosa y luego, cuando parece que está a punto de hablar, inesperadamente se levanta, va otra vez hacia su cuarto sin decir qué sucede, y al rato vuelve con una barra enorme de chocolate amargo. Lo abre, primero con cuidado, pero al poco rato rompe el papel metalizado que no termina de despegarse, corta una tableta y le ofrece a Pablo:

—¿Querés?

—No, gracias —dice él—. Primer puesto en la lista de tus cosas preferidas.

—Primer puesto, sí.

Leonor juega con el chocolate, sin comerlo todavía, lo hace girar sobre la bandeja, lo detiene de repente, lo hace girar otra vez, y luego de repetir el mecanismo varias veces, por fin dice:

—Trabajo con un abogado desde hace cuatro años, casi cinco; empecé a trabajar con él al poco tiempo de venir de Mar del Plata. Doctor Delpech, se llama el tipo, se dedica a gestionar cobranzas. Alguien debe plata, alguien quiere cobrar y no puede, Delpech toma el caso, presiona, insiste, persigue, lo que sea pero logra que el deudor se asuste y pague. Yo hago la parte administrativa, los papeles, los trámites. Trabajamos con gente que se atrasa con las expensas, o con la cuota de un electrodoméstico, o alguien con un crédito de dos lucas que sacó para cambiar el auto y que después no puede cancelar. Nada, porquerías, cosas chiquitas.

Leonor corta la tableta al medio, le ofrece otra vez una mitad, y otra vez Pablo dice que no. La come ella. Él la espera, pero cuando Leonor termina tampoco retoma su relato sino que se pone a jugar otra vez con el papel, como si estuviera ordenando las palabras en su cabeza antes de poder decirlas. O tomando coraje.

—Seguí —le pide Pablo.

—Bueno, ése es el negocio de Delpech. O su pantalla, porque el verdadero negocio es otro.

La chica toma lo que le queda de la gaseosa y lo mira. Luego le quita el vaso a Pablo y toma también lo poco que le queda a él. Envuelve el chocolate como si quisiera convencerse de que ya no comerá más. Pablo está tentado ahora de tomarle las manos, de detenerlas y acariciarlas, pero antes de que se decida Leonor ya dejó el chocolate y ahora se acomoda el pelo con una mano y con la otra juega sobre la mesa marcando con los dedos un ritmo que repite. No le toma las manos, sabe que no tiene que hacerlo, que sería un movimiento tardío, fuera de lugar y momento, algo a lo que ya no tiene derecho. El propio Barletta, parado detrás de Leonor, se lo dice:

—Un boludo, hermano, lo arruinaste de boludo. ¿Tanto importaba la grieta de Jara?

Leonor lo mira, ahora sus manos reposan sobre la mesa, calmas.

Parecería que el enojo se le hubiera pasado casi por completo y eso a Pablo lo alivia.

—Yo también te voy a hacer algunas preguntas —le dice ella y Barletta desaparece—. Después de que cumpla con mi parte del acuerdo, ¿me vas contestar lo que quiero saber?

Él asiente, sabe que hizo un trato, pero le inquieta pensar qué puede interesarle a esa chica de él.

—¿No querés saber cuál es el verdadero negocio de Delpech? —le pregunta Leonor.

—Sí, claro.

—¿No te lo imaginás todavía?

—No.

—Quedarse con departamentos ajenos.

—¿Cómo?

—Detectando inmuebles para usurpar.

—¿Usurpar?

—Así lo llaman los abogados: usurpación. Según Delpech, ésa es la figura legal. Aparecen casos así todos los días: un tipo o una familia o quien sea se mete en una casa que tal vez tiene dueños pero que nadie habita, y con el tiempo ya ni un juez los puede sacar. Intrusos, sabés de qué te hablo, ¿no?

—¿Jara trabajaba para ustedes?

—No, no. Delpech tiene una red de informantes en las administraciones de consorcios, en algunas inmobiliarias, con los porteros. Cuando alguien se entera de que un departamento que vale la pena está juntando una deuda importante y que su dueño no aparece por ninguna parte, él va con un cerrajero, se mete adentro, cambia la cerradura, y empieza a pagar los impuestos, la luz, el gas, lo que haga falta. Y al poco tiempo, si todo sale bien, si el tipo no aparece y no aparecen herederos, lo empieza a alquilar. La idea es que unos años después, cuando haya pasado el tiempo que dice la ley, Delpech los pondrá a su nombre y los hará dinero.

—Si no lo meten preso antes.

—Él no hace nada fuera de la ley. No les quita nada a propietarios ni a herederos legítimos. Delpech siempre dice que si no se quedara él con esos departamentos, irían a parar al Estado, a la misma bolsa donde va a parar todo lo que nos sacan.

—¿Vos decís que es como un Robin Hood, tu abogado?

—No, pará, no soy tan ingenua. Yo sé que no está del todo bien lo que hace. ¿Pero qué está bien? Mirá alrededor tuyo, la gente que conocés, ¿consiguió todo por derecha? El arquitecto ese para el que trabajás vos, los inversores que ponen la plata para que él haga su negocio, alguno de tus vecinos, el tipo al que le van a vender el próximo departamento, ¿consiguieron todo en buena ley? ¿Y los que ves en la tele?, ¿o los políticos? Vos mismo: ¿no hiciste ninguna en tu vida parecida a ésta? ¿Por qué ellos sí y nosotros no? Son las reglas del juego, y no las inventamos ni vos ni yo.

Pablo no contesta, se pregunta si se atreverá algún día —si la relación entre ellos no terminara final y fatalmente esa noche cuando él salga del departamento de Jara— a contarle que él, Pablo Simó, enterró a ese hombre bajo la losa del edificio vecino. Se lo pregunta una y otra vez, pero no tiene una respuesta ni para él ni para ella. Entonces Leonor sigue:

—Todo el mundo hizo alguna, Simó, vos lo sabés, más grande, más chica, pero la hizo. Y si no la hizo, ya la va a hacer, y si no la termina haciendo, se va a arrepentir, a nadie le gusta ser el único estúpido.

—¿Y vos cuál hiciste?

—Me quedé con este departamento. Cuando apareció empecé a hacer el trabajo que hago siempre para Delpech: pedir informes de títulos, averiguar si hay herederos, buscar las deudas atrasadas, ver si hay moratorias en las que se pueda entrar. El departamento estaba limpio, y no sé qué me pasó ni cuándo exactamente lo decidí, pero me acuerdo de que iba hacia el escritorio de Delpech, con el informe en la mano, con el cálculo de lo que había que poner para quedarse con el departamento, y cuando estaba a punto de abrir la puerta y entrar en su oficina me vino a la cabeza la siguiente pregunta, ¿y por qué no para mí? Ésa fue la pregunta exacta: ¿por qué no para mí? Ahí pegué media vuelta, guardé la carpeta en un cajón y esperé. Yo no le había comentado a Delpech que estaba trabajando con este departamento, ya a esa altura no le consultaba casi nada sino que iba con las cosas resueltas, le decía cuánto valía, cuánto había que pagar, y él decidía. De todos modos fui precavida: por si él tenía el dato por otro lado, esperé un mes, esperé dos meses, y cuando se estaba por cumplir el tercero me animé y empecé a pagar yo misma las deudas atrasadas. Dejé que pasaran otros dos meses más, y tampoco hubo novedades. Entonces fui con un cerrajero, el portero ni preguntó porque el dato lo había pasado él y ya había cobrado, pero todavía no me vine a vivir acá.

—¿Eso cuándo fue?

—Hace como dos años.

—¿Y por qué recién te mudaste ahora?

—Porque recién ahora me separé. Antes vivía con mi novio, que se vino primero de Mar del Plata, después me vine yo, y él ya tenía un departamento chico, de su abuela, que nadie ocupaba. Así que yo no necesitaba un lugar porque vivíamos juntos, este departamento era para mí una inversión como para tener algún día algo mío. Hay que tener algo de uno, ¿no? Pero bueno, se aceleraron las cosas, me tuve que ir de un momento para el otro, y así fue como llegué acá.

Si Leonor cree que Pablo Simó está pensando en lo que acaba de contarle acerca de cómo ella se quedó con el departamento de Nelson Jara, se equivoca. Pablo está pensando en ese novio con el que ella vivía. Y se pregunta si todavía la chica lo querrá, si la querrá él a ella, por qué no lo nombró antes, por qué se habrán dejado, si será definitivo. Pablo Simó quisiera hacerle todas esas preguntas a Leonor Corell, pero sabe que ninguna de ellas entra dentro del acuerdo que acaban de sellar.

—¿Qué pensás? —le pregunta ella.

—Nada.

—Te parece que soy un monstruo.

—No, para nada —dice él—. Todo el mundo hizo alguna, vos misma lo dijiste recién.

—¿Y vos cuál hiciste, Simó?

—¿Eso es lo que me querías preguntar?

—Ésa es una de las preguntas que tengo.

—Nada —miente.

—Entonces va siendo hora de que empieces.

—Va siendo hora, sí.

A Pablo Simó le gustaría volver el tiempo atrás, regresar al momento en que estaban echados sobre el piso de madera y besarla otra vez, subirse sobre Leonor, acariciarla, penetrarla.

—Tengo algo para mostrarte, algo que estoy segura que te va a interesar —dice entonces ella.

—¿Qué?

—Cuando me mudé hice una limpieza profunda, esto era un asco, hacía años que nadie limpiaba. Hasta había una taza con restos de algo, leche supongo, que se llenó de gusanos y largaba un olor que todavía siento, ¿vos no lo sentís?

—No.

—Yo sí, supongo que por la impresión que me dio —dice ella y, como si de verdad ese olor estuviera allí, se huele las manos—. Limpié todo sola, no quise que nadie me ayudara, para evitar sospechas. Me quedaron las manos lastimadas de tanto fregar. Después de eso, después de la limpieza profunda, quise tirar una cantidad de porquerías que Jara guardaba por todas partes. Así aparecieron las cajas, debajo de su cama, y dentro de una de las cajas toda esa información sobre su edificio y sobre el estudio Borla que nunca entendí del todo: la última agenda de Jara con citas, cálculos, fotos. No sé, eran tantas cosas que hablaban de ustedes que parecía que no hubiera habido en la vida de ese hombre nada que le importara más. Así que me pareció mejor ir a verlos y averiguar si sabían algo de él. ¿Te acordás cuando fui a verlos?

—Sí, me acuerdo —Claro que se acordaba.

—Yo llevaba la mochila repleta con papeles de Jara , no sabía para qué, por las dudas. Pensé que a lo mejor los podía necesitar. ¿Querés que te muestre tu cuaderno?

—¿Qué cuaderno?

—Hay un cuaderno que lleva en la tapa tu nombre y tu foto.

Pablo se sorprende. Leonor va otra vez a su cuarto y al rato aparece con una caja que apoya sobre la mesa y luego abre. Lo primero que reconoce Pablo son las bolsas de plástico de Jara y sus carpetas naranjas; las mismas con las que se le presentó la primera vez, las mismas con las que parado frente a la puerta del estudio lo esperaba en vano el día que Pablo, luego de espiarlo desde la esquina, huyó como un canalla. Pero Leonor enseguida mete la mano en la caja, revuelve y saca algo que él nunca había visto: un cuaderno con su nombre, Pablo Simó, en letra manuscrita y una foto de él, ampliada en una fotocopia color.

—¿Querés leerlo? Abrilo.

Y Pablo no sabe si quiere, pero toma el cuaderno, lo hojea apenas sin atreverse a leer en detalle los datos acerca de sí mismo que aparecen frente a él.

Siente que tiene delante de los ojos su propio diario pero escrito por otro. Y no quiere compartir con Leonor lo que el cuaderno provocará en él cuando lo lea.

—¿Te molesta si me lo llevo? Me gustaría verlo con calma, ya es tarde y me tendría que ir, fue un día muy largo.

—Largo y raro —dice ella y se sonríe con esa risa que a Pablo le hace olvidar del mundo—. Llevalo, sí. Pero después de leerlo me vas a tener que contar si todo lo que dice ahí es cierto. Eso es lo que quería preguntarte, mi parte del acuerdo.

—¿Lo leíste?

—Sí, más o menos.

—¿Y?

—Nada, habla de vos —dice Leonor y se sonríe otra vez.

Pablo junta sus cosas, se pone el cárdigan amarillo y se calza los zapatos.

—Bueno, me voy.

Entonces va hacia la puerta. Leonor lo acompaña, gira la llave y abre. Él la mira y luego se acerca para darle un beso en la mejilla, pero la chica lo toma del mentón, le gira la cara apenas lo necesario como para que su boca quede frente a la de ella y apoya sus labios en los de él en un beso corto y suave, mucho más de lo que Pablo siente que se merece. ¿Por qué corrió el pie desnudo cuando él lo rozó y ahora le besa los labios?

—Las mujeres son así —le dice Barletta.

Él espera un instante pero sabe que no puede pretender mucho más de Leonor esa noche. Entonces se separa de ella, se acerca al ascensor, aprieta el botón, y espera. Ella también espera, en el marco de la puerta, hasta que el ascensor llega y se detiene en ese piso. Se saludan por última vez con la mano, sin decir nada. Pablo abre la puerta, entra, la cierra, y cuando marca planta baja escucha el ruido de la puerta del departamento de Leonor que también se cierra.

El ascensor se pone en movimiento y, a su ritmo, Pablo Simó desaparece llevando el cuaderno en donde Nelson Jara habla de él.

16

Pablo Simó viaja en subte con el cuaderno sobre las piernas. Mira la tapa, recorre con el dedo las letras dibujadas a mano con fibra gruesa y negra que forman su nombre, luego se detiene en la foto —una foto que debe tener más de diez años— y se pregunta de dónde la habrá sacado Jara. Sospecha que puede ser la foto del carnet del Colegio de Arquitectos, ampliada y a color. Cuando el tren entra en la siguiente estación su memoria se lo confirma: es la foto del carnet del Colegio de Arquitectos, está seguro de que en ninguna otra foto que se haya sacado nunca tuvo puesta esa camisa a rayas gruesas, violetas —aunque Laura asegure que son azules— que a él nunca lo terminó de convencer pero que sin lugar a dudas usaba ese día. Lo recuerda bien porque se la había regalado su mujer para un aniversario de casados que coincidió exactamente con el día de la renovación del carnet de arquitecto, y Laura había insistido hasta lograr que él se sacara la remera que llevaba y se pusiera en cambio la camisa de rayas violetas. ¿Cómo consiguió Jara una copia de esa foto? Pablo no sabe. Tampoco sabe por qué él aún no se decide a abrir el cuaderno. Se dice que lo leerá tranquilo, cuando llegue a su casa. Mira la hora, casi las once de la noche, sospecha que será difícil darle explicaciones a Laura. Pero no se siente preocupado ni mucho menos arrepentido; correr ese riesgo valió la pena por varias razones: paseó por la ciudad con una chica de la que cree estar enamorado, la besó, la acarició y, llegando mucho más allá de cualquier fantasía que él pudiera haber tenido antes del encuentro, hizo el amor con ella. Pero además —y le da pudor poner esta otra circunstancia a la altura de hacer el amor con Leonor— comprobó que la grieta de Jara no era más que un fraude tallado por él mismo. Tal vez eso solo ya justifique soportar el enojo que quizás tenga Laura. Cierra los ojos y, mientras se deja hamacar por el movimiento del coche que arranca otra vez para salir de una estación rumbo a la siguiente, se imagina a Jara marcando la pared según el dibujo que quiere que recorra su falsa grieta, parado sobre una silla, midiendo con una regla de plástico la distancia entre cada desvío de la fisura que tallaría, uniendo una marca con otra —¿usaría una cruz, un punto o un guión para hacer cada marca?— y luego dibujando cada trazo de esa grieta tal y como Jara la imaginó, picando la pared encima del dibujo con un cincel, una gubia o hasta con un destornillador. Y una vez abierto el surco, se imagina también a ese hombre cepillando impurezas, soplando sobre la grieta para que cayeran el polvo y el revoque sobrante, sacudiéndose los restos de pared que quedaron sobre su propia ropa y, por fin, barriendo lo caído con obsesiva prolijidad, tal como él mismo, Pablo Simó, lo habría hecho.

El tren llega a una estación, disminuye la marcha y se detiene. Pablo abre los ojos, busca el nombre —Callao— y verifica que todavía faltan dos estaciones más antes de bajar para la primera combinación de líneas. Mira una vez más el cuaderno, su cuaderno; de alguna manera se siente importante, si Jara le dedicó uno entero es porque se lo merecía. ¿O también habría escrito uno acerca de Borla y otro acerca de Marta

Horvat? Se lo preguntará a Leonor la próxima vez que la vea, o cuando hable con ella, y si existen esos otros cuadernos, se los pedirá. La próxima vez que la vea, repite mientras el coche se pone otra vez en marcha. Cierra los ojos, evoca a Leonor desnuda. Se pregunta si habrá una próxima vez en que la vea así y se promete que sí la habrá, que Jara no empañará también eso, menos ahora que sabe que todo lo relacionado con él y su grieta fue un fraude, el invento de Nelson Jara. Todo no, su cuerpo muerto —o lo que de él quede— está enterrado bajo la losa, y eso es cierto. Eso, a pesar de cualquier mentira que haya dicho alguna vez Jara, sigue siendo la verdad. Siempre será la verdad.

En Carlos Pellegrini hace la primera combinación, en Avenida de Mayo la segunda y por fin sube a la línea que lo llevará a su casa. Dormita, pero se despierta justo a tiempo para salir a la superficie en Castro Barros. Lo golpean las luces de la noche de sábado sobre Buenos Aires. Autos que van con menos apuro que los días de semana, grupos de jóvenes, un hombre recién bañado que pasa junto a él —seguramente de camino a una cita— y que huele en exceso a loción para después de afeitarse. Mientras Pablo avanza hacia su casa, oye risas, murmullos, una bocina, otra que le contesta, una frenada, otra bocina, alguien que chista a un amigo desde el otro lado de la avenida, una pareja que pelea para luego terminar en un beso. Lo invade una ráfaga de olor a pizza y Pablo se da cuenta de que tiene hambre —¿cuántas horas hace que no come?—, un chico que lleva puesto un buzo con logo de la pizzería del barrio pasa junto a él cargando una pila de cajas de pedidos a domicilio y le confirma que su olfato funciona. Unos metros más y estará dentro del edificio donde vive. Imagina que, tal vez, deberá inventar para Laura alguna excusa por su tardanza: complicaciones usuales de su trabajo, la falta de consideración de Borla cuando no es él quien tiene apuro, la menor frecuencia de los subtes los fines de semana. Pero a pesar de sus temores, Pablo Simó tiene la esperanza de que Laura siga de buen humor, tal como estuvo los últimos días, y que su atraso no le haya dado motivo para estar molesta, irritable, como suele ser ella. Ojalá haya ido igual al cine, sin él, y haya disfrutado la película, y ojalá ahora esté tirada en el sillón del living con una copa de vino, o en la cama mirando en la televisión alguna otra película, aunque sea vieja, aunque la haya visto ya varias veces, mientras lo espera. Se pregunta si su mujer se dará cuenta de que él acaba de hacer el amor con otra. Huele sus manos y comprueba que no huelen a Leonor, y si bien eso es lo indicado para ocultarle a Laura lo que él hizo apenas unas horas antes, a Pablo Simó le apena que el olor de esa chica ya no esté en su cuerpo. Se acerca la solapa del cárdigan a la nariz y aunque siente un perfume que no le pertenece ni reconoce, sospecha que es olor a ropa nueva, al apresto o el suavizante con el que lavaron la prenda antes de ponerla a la venta, lo que sea, pero definitivamente no el olor de Leonor.

Sin embargo los deseos de Pablo no son más que eso: deseos, y en cuanto mete las llaves en la puerta, antes de abrir, ya escucha los gritos de Laura. Y su llanto. Siente el impulso de echar otra vez llave y salir corriendo, pero no es posible, no se siente capaz; entonces hace lo que está previsto que haga: abre y entra. Del otro lado se encuentra con Laura: la mirada devastada, la vena azul latiendo sobre su ojo izquierdo, apretando fuerte en su puño cerrado un pañuelo que cada tanto usa para secarse las lágrimas, sonarse la nariz o morderlo como si fuera el culpable de lo que sea que le pase. A Pablo le cuesta entender qué es lo que su mujer dice, pero aunque lo asombra semejante escándalo sólo porque él llega tarde un sábado cualquiera después de veinte años de matrimonio, no se le ocurre que los gritos de Laura puedan tener que ver con otra cosa que no sea él y su romance, ¿romance?, con Leonor Corell. Intenta armar sentido con las frases que logra escuchar en medio de los gritos y el llanto hipado, pero a pesar de su esfuerzo todo le suena incoherente. Se pregunta si Laura puede saber más de lo que él sospecha que sabe, si puede haberlo seguido, espiado, no, no puede, se dice, pero entonces por qué grita, por qué ahora lo agarra del saco como si él pudiera escaparse, por qué dice casi sin aliento "me quiero matar" y luego lo suelta y se tira sobre el sillón a llorar desconsolada. Pablo no se atreve a preguntarle qué le pasa porque sabe que ella ya lo ha dicho, recién, entre sus gritos, quizás hasta más de una vez aunque él no haya podido entenderlo, y sabe también que si su mujer lo repitiera en ese estado, tampoco lo entendería. Espera a que Laura recupere el aire, que aquiete el llanto, que controle el hipo y que baje la voz. Entonces, cuando ella lo logra y otra vez dice "me quiero matar", la frase suena para él clara, modulada en cada sílaba, sin gritos, por eso Pablo ahora la entiende y se le ocurre decir a su vez que no es para tanto, que estuvo trabajando, que se le hizo más tarde de lo que él pensaba, pero antes de que Pablo termine de decir "pensaba", Laura se enfurece más aun y lo interrumpe:

—Si esto no es para tanto, ¿qué cosa es "para tanto" para vos?

Y eso que ella acaba de gritar él también lo entiende con claridad, oye cada una de las palabras aunque todavía no comprenda a qué vienen. Luego Laura se queja de que si él hubiera estado allí esa tarde, tal vez la chica no dejaría de ser lo que es, pero al menos ella se habría evitado pasar por ese momento sola, darle ese cachetazo sola, sacar a su amiga a patadas de la casa sola. Recién entonces Pablo Simó se da cuenta de que cuando su mujer habla de "la chica" no se refiere a Leonor sino a Francisca, y eso lo alivia aunque a la vez le produce el hartazgo de un tema que se repite hasta el infinito. Laura grita ahora que esto es lo peor que podía haberle pasado en la vida, grita que ni siquiera que él —Pablo Simó— se muriera sería tan grave, porque ésa es la ley de la vida y uno algún día se muere —teoría que Pablo comparte con ella aunque nunca hayan hablado del asunto—, pero esto no, dice y repite, esto no. Pablo se pregunta a qué se referirá su mujer cuando dice "esto", y decide preguntarlo:

—¿Qué es "esto", Laura?

—¿Vos no escuchaste lo que te dije, Pablo?

—Sí, pero tratá de no gritar y de ser un poco más clara. Así no te termino de entender.

—¿Querés que sea clara?

—Sí…

—¿Bien clara?

—Sí, por supuesto.

—Tu hija es torta, Pablo —dice Laura abriendo con exageración no sólo la boca sino también los ojos y hasta los orificios de la nariz.

—¿Que mi hija qué? —pregunta él.

—¡Que es torta!, ¿ahora me vas a decir que no sabés qué es ser torta?

—¿Torta?

—Tortillera, lesbiana, homosexual...

—¿Francisca?

—Sí, Pablo, Francisca, ¿tenés otra hija acaso?

—¿De dónde sacaste eso?

—Entré a su cuarto y la encontré a los chupones con la otra torta de su amiga.

—¿Ana?

—El marimacho, sí.

—¿Se besaban?

—Se chupaban, Pablo, tenían la boca abierta y las lenguas metidas una adentro de la otra. No sabés lo que fue para mí verlas, la impresión que me dio. Nuestra hija nunca fue un marimacho. Era una nena, linda, y nena. La otra sí, pero ella no, cómo iba yo a imaginarme... —y otra vez Laura cambia los gritos por el llanto.

Pablo va a la cocina y vuelve con un vaso de agua para su mujer. Francisca, desde los dormitorios, aparece en el marco de la puerta del pasillo. Él la mira, ella lo mira a él; Laura, de espaldas a su hija, se evita el disgusto por el momento. La chica tiene la cara deformada, hinchada por haber llorado, tensa, y los ojos ardidos y rojos, pero Pablo sospecha que más por el enojo que por el llanto.

—¿Podés venir un minuto a mi cuarto, papá? —dice Francisca en un tono ahogado y apenas audible.

Pero Laura la escucha y antes de que Pablo llegue a responder, sin darse vuelta para mirarla, le grita otra vez:

—Salí de acá, asquerosa, salí.

Y la chica se va hacia el cuarto sin oponer más resistencia que su cara de odio.

—Laura, ¿te parece que ayuda en algo que la trates así?

—La trato como puedo, la trato como me sale, y como se merece...

—¿Ella qué dice? —pregunta él.

—Ella no tiene nada que decir, qué querés que diga. ¿Qué importa lo que diga, Pablo?

—Dejame que hable con ella.

—No hay nada de que hablar, ¿qué es lo que querés hablar?, ¿qué se siente cuando otra mujer te mete la lengua hasta la campanilla?

—¿Por qué no tomás alguna pastilla para tranquilizarte?

—Porque ya tomé tres, y no me hicieron absolutamente nada.

—Entonces tomate un vino, o un whisky, lo que sea que te baje un poco esa tensión que tenés. Así como estás no vas a ayudar a solucionar nada.

—Es que esto no tiene solución, Pablo, eso es lo que vos no terminás de entender. ¿Cómo mierda se soluciona que tu hija sea lesbiana? ¿Hay un centro de ayuda a las lesbianas?, ¿hay una granja de recuperación como para los drogadictos?, ¿habrá alguna nueva medicación?

—Dejame que hable con ella.

—Hacé lo que quieras —dice Laura mientras se para con brusquedad derramando el resto de agua que le queda en el vaso, y luego desaparece por el mismo pasillo por el que hace un instante desapareció Francisca, para encerrarse ella también en su cuarto, después de dar un portazo.

Pablo se toma unos minutos antes de ir al cuarto de su hija. Se sirve también un vaso de agua, bebe, piensa qué va a decirle. No sabe. A lo mejor se trata de esperar a que sea Francisca quien diga algo, piensa, al fin y al cabo ella se asomó un rato antes por esa puerta y le pidió que vaya a su cuarto. Recordar eso le permite avanzar ahora por el pasillo, lento pero decidido; sin embargo, cuando llega al cuarto de Francisca todavía no se siente preparado para enfrentarla y se queda detrás de la puerta esperando no sabe qué. Su hija escucha música, a pesar de que el volumen está alto también se oye su sollozo. Pablo se queda un instante más así, dejándose invadir por esa música que le gusta aunque no conoce y por el llanto que le duele, como si los dos formaran parte de un dúo improvisado que suena mejor de lo esperado. Por fin respira profundo un par de veces y luego golpea con los nudillos mientras dice:

—Soy papá, ¿puedo entrar?

Francisca no contesta pero después de unos segundos mueve el picaporte y hace que la puerta se abra, apenas, lo suficiente como para que Pablo sepa que tiene permiso para entrar. Entonces lo hace, con cuidado, como si con cada paso pidiera permiso otra vez. La habitación está sólo iluminada por la pantalla de la computadora de donde sale la música que Francisca escucha. La chica está sentada en el piso, apoyada contra la pared, las piernas recogidas y abrazadas. Pablo corre unos almohadones y se sienta en el borde de la cama.

—¿Qué es eso que oís?

—Leonard Cohen.

—¿De dónde salió?

—Me lo grabó un amigo que siempre encuentra cosas raras —dice ella, y se limpia los mocos con el dorso de la mano—. ¿Lo conocés?

—No —dice él—. ¿Debería?

—Si te gusta, sí; si no, no. No hay obligación de conocer a nadie que a uno no le guste.

—Éste me gusta.

—Si querés te lo grabo.

—Dale. ¿Qué amigo es el que encuentra cosas raras?

—Toni.

—¿Lo conozco?

—Es ese con el que me encuentro a tomar algo a veces a la salida del colegio, el que a mamá no le gusta porque tiene barba.

—Hoy tu madre debe estar arrepentida de criticar a Toni y su barba —dice él y se sonríe; ella le devuelve la sonrisa—. Sabe de música, Toni.

—¿Ustedes escuchan música? —le pregunta Francisca.

—¿Ustedes quiénes? —pregunta él.

—Vos y mamá —le contesta su hija.

Pablo duda, no contesta, se queda pensando como si la pregunta que acaba de hacerle Francisca tuviera alguna dificultad para ser respondida. Ella insiste:

—No, digo, porque acá en casa nunca los vi escuchar música, ni a vos ni a ella. ¿Escuchás música en alguna otra parte?, ¿en la oficina?

—Sí, a veces escucho en la oficina —miente.

—Te voy a hacer escuchar el tema que más me gusta a mí —dice Francisca.

Y mientras ella va a la computadora y elige su canción preferida para compartirla con él, Pablo se

pregunta por qué casi no escucha música si hasta
hace unos años, ¿quince?, ¿veinte?, la música ocupaba un lugar en su vida. No es que haya sido un especialista ni un melómano, pero la disfrutaba. Y el
Tano Barletta también, se la pasaban escuchando lo
que fuera mientras permanecían despiertos en las lar-
gas noches en que preparaban entregas para la facultad. Barletta sí que sabía de música, todo lo que le
hacía escuchar era bueno, raro —como lo que encuentra Toni para Francisca—, "una joya" decía el
Tano. Pero más allá de la propaganda que él mismo
se hacía, Pablo tenía que reconocer que la música
que Barletta elegía lo atravesaba, se le metía adentro,
lo conmovía. Seguramente el Tano sabe hoy quién es
Leonard Cohen, piensa Pablo y se queda mirando a
su hija que otra vez se sentó contra la pared y abraza
sus piernas. Aun con la poca luz que la ilumina le alcanza para confirmar lo linda que es, y lo joven, y lo
desolada que está. ¿Por qué su hija, a esta corta altura de su vida, está tan desolada como él? ¿La desolación puede ser genética o hereditaria?, se pregunta,
¿puede ser una predisposición que algunos tenemos
a dejarnos arrasar por cosas que a otros les pasan por
el costado sin dejar huella? ¿Por qué unos padecen y
otros ignoran? La música de Cohen no hace más que
confirmarle la desolación.

—¿Te contó? —pregunta Francisca.

—¿Mamá? Sí, me contó. ¿Me querés contar vos?

—Mamá se toma las cosas siempre a la tremenda. Yo le di un beso a Ana, es cierto, ¿pero eso me
convierte en algo de acá a que me muera?

—Entonces, ¿no sos?

—No soy qué, papá…

—Eh…

—Decilo…

—No sos… gay.

—No sé, decime vos. Ana es mi amiga, me pidió que la bese y yo quise besarla, nada más que eso. Quise probar qué se siente. ¿Ya soy gay, papá? ¿Por qué entonces besar a tantos hombres como besé no me convirtió en lo contrario?

—¿Tantos hombres?

—Papá…

—Perdón.

—Besé algunos hombres, y besé una mujer, ¿tengo que saber ya qué voy a querer besar el resto de mi vida?

—No, nadie sabe lo que va a querer besar el resto de su vida.

—Pero mamá me está obligando a eso, mamá está esperando que le confirme que soy gay, y yo no puedo decirle que sí para que no me joda más, porque de verdad hoy no sé qué soy. ¿Con cada cosa que pruebe ella me va a poner una etiqueta? Si fumo porro voy a ser drogadicta, si un día me pongo en pedo voy a ser alcohólica, si salgo con más de cinco tipos voy a ser una puta. Besé a una amiga, papá, eso fue lo que pasó, nada más, te juro.

—No hace falta que me jures nada —dice él y luego los dos quedan en silencio un rato.

Pablo se queda pensando en cuántas cosas, hechas aunque sea una sola vez en la vida, alcanzan para que alguien reciba una determinada etiqueta. ¿Es ladrón Barletta, que se robó un casete de Keith Jarrett aquel verano en Villa Gesell? ¿Es usurpadora Leonor, que se quedó con un departamento que no es suyo?

¿Qué etiqueta le corresponde a él, que enterró a un hombre —¿muerto?— en circunstancias dudosas sin dar intervención a la policía? ¿Cómplice? ¿Qué etiqueta habría que ponerles a Marta y a Borla después de aquella noche? ¿La misma a los dos? ¿Él ya es un adúltero por haberse acostado unas horas antes con Leonor Corell? ¿Y Laura ya es una cornuda?

—¿Vos nunca besaste a un hombre, papá? —le pregunta Francisca y lo saca de su ensimismamiento.

—No, nunca —dice y trata de disimular el impacto que le produce la pregunta que acaba de hacerle su hija.

—¿Por qué?

—Porque no, porque ni se me cruzó, porque siempre me atrajeron las mujeres, no sé...

—¿Vos creés como mamá que yo ya soy lesbiana?

—No, no, Francisca... yo no creo nada. O creo en eso que me decís, creo en que no sabés, en que casi nadie sabe.

—¿Qué soy para vos?

—Para mí sos mi hija, mi nena.

—Ana dice que ella ya sabe, que a ella nunca le gustó un chico.

—A lo mejor ella sí sabe.

—A lo mejor.

Pablo se acerca con cuidado, se agacha junto a ella y la abraza.

Ella se deja abrazar y se pone a llorar en su hombro.

—¿Te quedás al lado mío hasta que me duerma? —le pide Francisca.

—Me quedo, sí.

La chica se suelta del abrazo, apaga la computadora y se mete en la cama. Pablo apaga la luz, se sienta junto a ella y le toma la mano. Francisca solloza un poco más pero poco a poco el ritmo de su respiración se va aquietando y finalmente se duerme. Pablo la mira, le besa la mano, le acomoda un mechón de pelo que le cae sobre la cara, estira la sábana para que la cubra hasta los hombros, le besa la mano otra vez. Y allí, sentado en el borde de la cama de su hija se da cuenta de que no siente por ella ni pena ni preocupación. La mira, no puede dejar de mirarla, y le gustaría ponerle una palabra a lo que siente. ¿Respeto?, ¿admiración? Sí, cree que es eso, cree que admira a su hija. Él, aunque hubiese querido, jamás se habría atrevido a besar a un hombre.

17

Se levanta temprano. Es domingo y lo más probable es que Laura y Francisca —si el episodio de la noche anterior no alteró sus respectivos biorritmos— sigan durmiendo hasta el mediodía. Levanta el diario del otro lado de la puerta y va a desayunar a la cocina. Lleva también con él el cuaderno de Jara. Su cuaderno. Lo deja sobre la mesa junto a la taza donde verterá el café en cuanto esté listo. Lo mira. Todavía no se atreve. Empieza por el diario; los diarios de los domingos traen cada vez más publicidad y eso lo fastidia. Saltea rápidamente los avisos de electrodomésticos y lee las noticias internacionales, la sección de política, y deportes. Es una lectura más rápida de lo habitual, ningún copete de nota lo atrae lo suficiente como para leerla entera. Mira el cuaderno una vez más. Mira su foto en la tapa del cuaderno. Mira las rayas violetas de la camisa que lleva puesta en la foto. Va a ver si el café ya está listo. Se lo sirve. Deja que se enfríe un poco. Lo toma. Abre la tapa del cuaderno y se encuentra en la primera página con la siguiente frase:

Pablo Simó es arquitecto, está casado (Laura) y tiene una hija (Francisca). Nació en Lanús en 1962, no tiene hermanos; padres muertos. Trabaja desde que se recibió en relación de dependencia. No está asociado al estudio del Arquitecto

*Borla a pesar de que trabaja allí desde hace casi
veinte años.*

Más allá de la impresión que le produce que
Nelson Jara haya sabido detalles de su vida como el
nombre de su hija o el de su mujer, o si sus padres viven o no, lo que verdaderamente le queda dando
vueltas en la cabeza es *"Trabaja desde que se recibió en
relación de dependencia. No está asociado..."* ¿Por qué
ese dato le importa tanto a Jara como para anotarlo en
su cuaderno? ¿Por qué Borla nunca le ofreció hacerlo
socio? ¿Por qué él no se lo exigió?

Y un poco más abajo:

*Viaja en subte aunque eso implica un recorri-
do mucho más largo y menos directo del que haría en colectivo. O le molesta el tránsito o le gusta
enterrarse vivo debajo de esta ciudad.*

El tránsito nunca le preocupó. ¿Elige el subte
para enterrarse vivo?, se pregunta ahora Pablo Simó.
Un hombre vivo debajo de la ciudad. Un hombre
vivo bajo tierra. Si hubiera alguna posibilidad de que
Jara no estuviera muerto cuando él lo enterró, entonces su etiqueta no sería "cómplice" sino "asesino". Ya
nunca sabrá si es lo uno o lo otro. ¿Cuántos vivos habrán sido enterrados bajo el suelo de Buenos Aires?
¿Cuántos muertos de los que nunca nadie se enteró?
¿Cuántos muertos negados? El Tano Barletta asegura-
ba que cuando construyeron el subterráneo los opera-
rios que morían en la obra eran enterrados ahí mismo,
en el túnel que excavaban, por donde luego pasarían
las vías, y sobre ellas él, Pablo Simó, dentro de un va-

gón rumbo a su destino. Y también decía que hay muertos debajo del cemento de la autopista Buenos Aires-Ezeiza. Y en lo que era el Ital Park. Y en la Costanera Sur, en medio del amasijo de casas volteadas en San Telmo para rellenar lo que iba a terminar siendo la Reserva Ecológica.

—Qué podés esperar de una ciudad con tanto muerto fuera del cementerio —se quejaba Barletta.

Pablo Simó avanza unas páginas y se encuentra con el siguiente párrafo:

> *No se le conocen mujeres fuera del matrimonio, ni cuál es el equipo de fútbol con el que simpatiza, ni quiénes son sus amigos.*

Y unas páginas más allá la cronología de cada uno de sus encuentros: en el estudio la primera vez ("A Simó lo altera que le cambien el orden sobre su escritorio", "se preocupa por los zapatos que usa la gente"), la tarde que Jara lo esperó en vano parado en la puerta ("Simó espiaba escondido desde la esquina, sabe que fui, y sabe que no me recibió") y el café del último día en Las Violetas ("Hoy Simó no pudo mirarme a los ojos"). Debajo de cada fecha y relato, una conclusión. La del primer encuentro dice:

> *Pablo Simó es una persona obsesiva, detallista. Por momentos cree que tiene que ser duro y lo intenta, como si le hubieran enseñado que ésas son las reglas del juego. Pero no está en su naturaleza ser así. Está más de este lado que del lado de los otros. ¿Un socio? ¿Un aliado?*

Y luego un párrafo que escribió la tarde en que Jara lo esperaba en la puerta del estudio:

Hay algo en Pablo Simó que desconcierta. Se pone de mi lado, dice que va a ayudar, pero luego no lo hace. ¿Miente? ¿Es cobarde? ¿Se siente presionado por su jefe? Si se mostrara un poco más abierto, ya le habría ofrecido parte de lo que le saquemos a Borla. ¿Por qué me cae bien Pablo Simó?

El relato del último encuentro en Las Violetas está escrito en forma telegráfica, con oraciones cortas, sin detalle, como si Jara se hubiera visto obligado a dejar constancia de él pero no hubiera tenido la voluntad o el tiempo para hacerlo. Y la conclusión siguiente:

Estoy solo esta vez. Me equivoqué, no puedo contar con Pablo Simó. Será sin aliado entonces. Simó está de este lado pero él parece no darse cuenta. La suerte está echada.

Y luego la palabra "fin", que Pablo se queda mirando. Fin para él y fin para Nelson Jara.

Un rato después Pablo llama a Leonor, la despierta, todavía es temprano en esa mañana de domingo. Ella dice que no importa, que se estaba por levantar para ir a pasear en bicicleta con un amigo. Un amigo, se dice Pablo a sí mismo y le pregunta a ella si en la caja hay también otros cuadernos, si existe el cuaderno de Borla y el de Marta Horvat. Leonor dice que cree que no pero que se va a fijar y le avisa, le pregunta si puede llamarlo a este número que le aparece en el visor. Él le dice que sí y se queda esperando su llamado.

—No, no hay ningún otro cuaderno personal en esa caja. Pero sí hay cuadernos en las otras.

—¿Cuáles otras?

—Todavía conservo dos o tres cajas más, las demás las tiré, no podía juntar tanto papel.

—¿Y qué hay en esas otras cajas?

—Aparentemente corresponden a otros edificios. Los papeles son parecidos a los que te mostré, pero no hay tantos. Todas tienen una etiqueta en la tapa donde dice una dirección, una fecha y un importe en dólares. A la tuya le falta completar el importe en dólares, hay un espacio pero no está la cifra. En todas hay fotos de paredes agrietadas, cuadros con el dibujo de las grietas y recortes de diario. Y en cada una de esas cajas hay un cuaderno con el nombre de un tipo y la foto. ¿Querés que me fije y te diga los nombres?

—No, no hace falta —dice Pablo, le agradece y corta.

Nelson Jara, profesional de la grieta. Ésa sería la etiqueta que le pondría. O profesional del engaño. O embaucador de arquitectos. Alguna de todas esas o todas. Pablo se sonríe, no puede dejar de sentir cierta simpatía por ese hombre que les tomó el pelo a tantos de sus colegas, incluido él. Lástima que esté muerto, si no se juntaría con Jara a tomar un café para que le cuente todos los detalles. Cuál fue el estudio al que más plata le sacó. Cuál fue la grieta que le costó más tallar. Le preguntaría si alguna vez lo descubrieron.

Cómo elegía las víctimas, ¿víctimas? Cómo se le ocurrió hacer de esto su profesión. Cuándo pensaba retirarse. Pero Jara no está y todas esas preguntas quedarán sin responder. Repasa por última vez las frases que escribió ese hombre acerca de él y arma con ella su propia hoja de vida, que escribe a continuación de la palabra "fin":

Pablo Simó es un arquitecto frustrado, que a pesar de lo poco que tiene para perder siente pánico de moverse de los lugares donde se ha establecido: su trabajo, su matrimonio, su vida sin música ni amigos ni equipo de fútbol por el que gritar un domingo, ni amantes ni amor. Sabe muy pocas cosas acerca de sí mismo: que tiene una hija a la que quiere, que enterró a un hombre bajo la losa de un edificio, que le gustaría levantar una torre de once pisos que mire al Norte, que teme que nunca logrará levantar esa torre de once pisos, y que hasta hoy estuvo parado del lado donde no debería estar.

Mira lo que escribió y se da cuenta de que casi sin proponérselo usó una letra parecida a la de Nelson Jara. Con sólo practicar un poco lograría sacarla exacta, piensa. En ese momento entra Laura a la cocina. Tiene los ojos hinchados de tanto llorar, y su gesto muestra que va a seguir llorando en cuanto se recuperen sus lagrimales.

—¿Pudiste dormir? — le pregunta ella.

—Poco, pero algo pude.

—Los hombres tienen suerte, casi nada los desvela.

—No creas, yo pasé muchas noches desvelado.

—¿Cuándo?

—En todos estos años que vivimos juntos.

—No me di cuenta.

—Dormías.

—En todo caso sería por algo menor, nunca nos pasó nada tan grave como lo que nos está pasando ahora.

—No hables por los dos.

—¿Por qué?, ¿me vas a decir que te pasó algo tan grave como esto y que yo no me enteré?

—Hace unos años enterré a un hombre debajo de la losa de un edificio que estábamos construyendo. Todavía hoy dudo si el hombre estaba vivo o muerto. En tu escala de cosas graves, ¿qué pondrías primero, Laura?, ¿la sexualidad de Francisca o que yo haya enterrado a un hombre?

18

El lunes antes de entrar al estudio Pablo toma, como siempre, el café que necesita para empezar la mañana. Frente a él está abierto el cuaderno que Nelson Jara le dedicó. No importa cuál es la página que tiene delante de sus ojos porque Pablo Simó no está atento al contenido, a lo que esas palabras dicen, sino a la letra, a los grafismos que Nelson Jara dibujó con pulso firme y caligrafía esmerada. No importa si su mirada está sobre *"Simó está de este lado pero..."* sino que la "o" y la "a" que trazó ese hombre son iguales en casi todo su recorrido excepto en el rulo final, que tienen la misma inclinación hacia la derecha, y el mismo tamaño de elipsis, y que la "t" se eleva más de lo que Simó eleva la que él traza cuando escribe, por ejemplo, "Marta", y la "p" baja también más de lo que él la haría bajar. Pablo imita la letra de Jara sobre una servilleta. Escribe: "¿Qué pasaría si...". Y otra vez: "¿Qué pasaría si...". Y luego: "pasaría". Y "pasaría" otra vez. Y el signo de interrogación para un lado y para otro. "¿Qué pasaría si una tarde..." "... una tarde." "... si una tarde." "... tarde..."

Mira el reloj, ya es hora de irse a trabajar, paga su café, toma el cuaderno de Jara y sale, pero cuando está por llegar a la puerta del estudio se da cuenta de que dejó sobre la mesa la servilleta donde garabateaba letras y vuelve por ella. Es entonces cuando Leonor tiene que esquivarlo para no llevárselo por delante con la bicicleta.

—¡Hola! —dice la chica.

—¡Hola! —dice él—. ¿Te vas a pasear?

—No, voy a trabajar.

—En bicicleta…

—Sí, estoy harta del colectivo. Cada vez hay más tránsito en esta ciudad, y yo cada vez tardo más en llegar. ¿A vos no te pasa?

—Yo viajo en subte.

—Cierto, lo leí en tu cuaderno.

Pablo se sonroja; acaba de tomar conciencia de que todo lo que Jara escribió acerca de él en ese cuaderno fue leído por Leonor. Duda entre aclarar ciertos detalles, desmentir alguna cosa, negar, o simplemente callar y aceptar que eso es él. Decide preguntarle a ella.

—El otro día, en tu casa —y se conmueve al decir "en tu casa"—, dijiste que me querías preguntar algo acerca de lo que dice Jara de mí en el cuaderno.

—Ah, sí, cierto, ¿te pregunto?

—Dale.

—¿De verdad nunca hubo otra mujer en tu vida desde que estás casado?

—Depende qué significa que haya otra mujer.

—Que hayas estado con otra, que te hayas enamorado.

—No. Hasta la época en que Jara debe haber escrito eso, no.

—¿Después sí?

—Eso no entra en nuestro acuerdo, yo contestaba tus preguntas acerca del cuaderno. Un trato es un trato.

—Tenés razón.

—Cobarde —le dice Barletta, pero Pablo se hace el que ni lo ve ni lo escucha.

Luego él y Leonor se quedan un rato en silencio, con la incomodidad de no saber qué más decir. Y cuando deciden hablar, lo hacen los dos juntos y lo que dice uno se pierde en el murmullo del otro.

—¿Querés que te muestre cómo quedó el trabajo? —le dice ella.

—¿Te compraste una bicicleta? —pregunta él.

Leonor se ríe de la situación, y Pablo de su risa.

—Decime —dice la chica.

—No, mejor decime primero vos —pide Pablo.

—Te preguntaba si querés que te muestre cómo quedó el trabajo de los frentes. Lo llevo en la mochila —dice y señala la que lleva sobre su espalda y que Pablo tanto conoce.

—¿Ya está listo?

—Sí, lo tengo que entregar hoy.

—Ah, yo creía que a lo mejor… otro día…

Sin esperar a que él termine su frase —algo que de todos modos Pablo no haría—, la chica se descuelga la mochila de la espalda, la abre, saca una carpeta y se la pasa. En la tapa hay un título: "Cinco caras de la ciudad", y su nombre: "Leonor Corell". Pablo abre la carpeta y la recorre. Aunque no es experto en fotografía, lo que ve le gusta y hasta podría decir que son buenas fotos. A cada una Leonor le puso un título: "1. Hombres que cargan en vano"; "2. La cabeza y sus lirios"; "3. Pavos reales replegados y otros desbordes" —como único título en la hoja donde pegó las fotos de las tres fachadas de Colombo—; "4. Enrejada en Barrio Norte"; "5. *Liberty* con limpieza a seco".

Pablo Simó se pregunta cómo las habría titulado él. Recorre una vez más la carpeta y titula en su mente: 1. Primera parada para ver a Leonor; 2. Ella y yo sentados sobre el baúl de un auto; 3. Sangre terca, diecisiete años mayor que ella; 4. Leonor entre barandas españolas; 5. Leonor me invita a su casa.

—¿Qué te parece? —pregunta ella.

—Quedó muy bien —le responde él y le devuelve la carpeta.

—¿Viste esto? —le pregunta Leonor y le da otra vez la carpeta abierta en la última hoja donde él lee: "Agradecimientos: Arquitecto Pablo Simó".

Pablo se queda mirando su nombre escrito con la letra de Leonor.

Acariciaría su nombre escrito con la letra de Leonor; si pudiera recorrería las letras en tinta azul con su dedo índice, pero sabe que no puede hacerlo delante de ella, entonces sólo agradece, le da la carpeta y ella la guarda. Al agacharse para meterla en la mochila, a Leonor se le cae el pelo sobre la cara, y recién entonces Pablo se da cuenta de que hoy ella no lleva el pelo atado, y que eso a él le gusta. Y que también le gusta cómo le queda esa remera tan parecida a las que siempre lleva puestas, los jeans gastados, las zapatillas negras de media caña que usaba también el día que la conoció.

—¿Y vos qué me decías?

—¿Cuándo?

—Recién, cuando empezamos a hablar los dos juntos.

—No me acuerdo.

—Algo de la bicicleta me pareció.

—Ah, sí, te preguntaba si te compraste esa bicicleta.

—No, es de Damián. Ayer fuimos a dar una vuelta y la dejó en casa.

—¿Quién es Damián?

—Mi novio.

—Perra —dice Barletta y Pablo se pregunta por qué tuvo que aparecer su amigo.

—En realidad mi ex novio, el de Mar del Plata.

—Ah, se siguen viendo… —dice él.

—Sí, hay muy buena onda, la mejor.

—Y te dejó su bicicleta. O sea que va a volver.

—Sí, siempre viene. O yo voy.

—Son así, hermano —dice Barletta y le pasa el brazo por el hombro—, ahora las minas son todas así, libres. Vos querés que sean sólo tuyas, pero te tenés que conformar con tener apenas un poco de ellas, porque si no te quedás sin nada. Libres, lindas y perras.

Pablo se mueve intentando que Barletta desaparezca. No tiene ganas de discutir con él acerca de cómo es o deja de ser Leonor Corell.

—¿Te puedo pedir algo? —le dice a la chica.

—Sí.

—Necesitaría que buscaras entre los papeles de Jara algo para mí.

—¿Algo como qué?

—Algún papel donde se pueda ver bien su letra, pero que sea un informe acerca del edificio o acerca de la grieta, que hable de la obra pero no de mí.

—Busco y te digo. Seguro que algo hay.

—Lo necesito con cierta urgencia.

—Esta misma noche lo busco.

Otra vez se quedan en silencio un instante, luego Leonor endereza su bicicleta, gira los pedales de modo de dejarlos listos para andar y se despide.

—Bueno, me voy porque voy a terminar llegando tarde también hoy. Te mando eso en cuanto lo tenga —dice, se sube y empieza a andar.

—Dale. Y suerte con tu trabajo —le grita Pablo mientras ella se aleja y él se queda mirando cómo el pelo de la chica flamea sobre su espalda.

—No era, entonces —dice Barletta.

—¿No era qué? le contesta él.

—El amor.

Pablo duda, la sigue con la mirada hasta que ella desaparece.

—No, ¿no? —dice finalmente, cuando ya no la ve—. Y si ella era el amor, nunca se enteró.

—Otra vez no era.

—Otra vez.

—¿Y ahora dónde lo vas a buscar?

—¿Qué cosa?

—El amor.

—No lo voy a buscar más. Si anda por ahí ya dará alguna señal.

—¿Señal?, ¿qué señal?

—Una clara y distinta.

19

Pablo se queda todo el día en el estudio como si nada hubiera pasado. Es una época con menos trabajo: aunque hay varias obras con informes de viabilidad iniciados, los vaivenes financieros de la bolsa de algún país o de todos los países que tienen bolsa —él nunca terminará de entender bien cómo sus efectos llegan a la calle Giribone— hicieron que las inversiones en proyectos inmobiliarios para los próximos meses hayan quedado en suspenso.

—Estamos en *stand by*, Pablo, esperando que la cosa se acomode —le dice Borla cuando pasa esa tarde por la oficina y le pregunta—: ¿Qué me decís de lo que pasa en los mercados?

Y si hay algo que a Pablo no le interesa en lo más mínimo en este momento de su vida es lo que pasa en "los mercados". ¿Qué son los mercados?, ¿quiénes son los mercados?, ¿dónde están?, ¿se pueden tocar como él tocó a Leonor Corell?, ¿o tocar como él tocó la grieta de Jara?, ¿se pueden enterrar en una zapata y luego tirarles hormigón encima? Entonces que no le vengan a hablar a él de los mercados.

—¿Alguna otra novedad? —pregunta Borla antes de meterse en su oficina.

—Por ahora no, todo tranquilo —le contesta él.

Marta Horvat ni siquiera pasa por el estudio. Hace rato que Pablo y Marta no se cruzan. Sabe que ella empezó una nueva obra esta semana —la última que aprobó Borla, justo antes de la crisis, ¿crisis?— y el olor a tierra removida, los camiones que descargan materiales, el rumor de los obreros que dependen de ella, o lo que sea, ejercen una atracción tan grande sobre Marta Horvat que ella no vuelve a pisar tierra firme por varias semanas.

En los ratos libres Pablo Simó prueba otra vez escribir con la letra de Jara. "Qué pasaría si…" "¿Qué pasaría…" "… si una tarde…" "Porque aquella noche…" "Aquella noche…" "… error…" "… hubo un error…" "¿Qué pasaría si…"

Sobre el final del día Pablo saca su carpeta con bocetos y dibuja una vez más la torre de once pisos que mira al Norte. La dibuja como siempre: el mismo frente, las mismas ventanas, la misma distribución, la misma entrada. Pero esta vez, cuando el boceto está listo cuenta los pisos y se detiene en el quinto. Elige una ventana, cualquiera, y en la pared junto a ella traza una grieta, casi imperceptible para el ojo humano en esa escala, pero real, allí está, nadie puede negarlo porque fue dibujada por él, de arriba abajo, de izquierda a derecha, lo más parecida a la grieta que recuerda atravesando la pared del departamento que fue de Jara y hoy es de Leonor.

Esa tarde cuando sale del estudio, en lugar de meterse en la boca del subte camina unas cuadras y entra en dos o tres inmobiliarias a preguntar por departamentos en alquiler.

—Chico, dos ambientes, tres a lo sumo. Chico y barato. Y si es posible amueblado.

Le muestran fotos de los que cumplen con los requisitos que él describe. Pablo apenas las mira, tan-

to como para aparentar que el aspecto de lo que está
por alquilar le interesa, luego cierra los ojos, se los
aprieta con los dedos como si le doliera la cabeza o tuviera la vista cansada, y mientras tanto intenta recordar la cuadra en la que está cada uno de ellos. En algunos casos lo logra, en otros no; le resulta más fácil
cuando los departamentos quedan dentro de una
zona donde él estuvo buscando terrenos para Borla. Si
la memoria no le falla, el que le ofrecen a media cuadra de Federico Lacroze puede ser vecino del terreno
que quisieron comprarle a un colegio que había empezado a tambalear después de la crisis del 2001 y cerró definitivamente tres años después, pero les había
ganado de mano otro estudio. Y el de Tronador, casi
podría asegurarlo, está ubicado junto a la casona de
principios de siglo que demolieron hace unos meses y
donde ya pusieron cartel y cerco de obra. Anota las direcciones de esos que le interesan; no deja sus datos
pero promete llamar para acordar una entrevista y visitar los departamentos personalmente. Camina por la
calle luego de su última visita inmobiliaria, y con lo
que queda de luz del día va a ver los dos departamentos que marcó. El de la esquina de Federico Lacroze
finalmente no es vecino del terreno del colegio que
quisieron comprar y no compraron —hay una casa y
un edificio en medio de los dos—, pero el de Tronador sí está al lado de la casona demolida donde el estudio Arquitecto Garrido y Asociados empieza a levantar unos dúplex que, si el cartel no miente, serán
de categoría. No conoce a Garrido, mejor. Entra en
un locutorio, llama a la inmobiliaria y concierta una
cita para ver el departamento al día siguiente. Busca
una boca de subte y se sumerge camino a su casa.

No se detiene a tomar el último café del día, esta vez va directo a su departamento. Entra y se alegra de no encontrar a nadie en el living porque eso le permite seguir al baño sin saludar ni dar explicaciones todavía; lavarse la cara; volvérsela a lavar; secarse con una toalla blanca sin frotarla sobre la piel, apenas dando golpes suaves y cortos; quedarse ahí dentro unos minutos mirándose al espejo.

Luego sale y busca a Laura. La encuentra en el cuarto que hasta ahora es de los dos, que por veinte años fue de los dos. Le dice que se va, que decidió separarse. Ella no le cree, se ríe, luego se enoja y pega algunos gritos, le ordena que esa noche duerma en el living —no porque le haya creído que van a separarse sino porque lo trata como si Pablo fuera un chico y ése el castigo que él necesita para encuadrase otra vez en la buena senda—, y por fin le pide que salga y ella se encierra en el cuarto dando un portazo. Laura parece convencida de que los planteamientos de su marido no son más que derivaciones de la discusión que mantuvieron el otro día a partir de la pelea con Francisca y se encarga de decírselo antes de irse a dormir. Se le aparece en la cocina, en camisón, cuando él se calentaba algo para comer:

—Estamos nerviosos por todo lo que nos está haciendo pasar esta chica. Pero lo único que falta es que además esto termine afectando nuestra pareja.

Y sin esperar respuesta o comentario, como si se tratara de una máxima que le regala para que él reflexione, se va a su cuarto otra vez. Pablo se queda con las palabras de su mujer —¿su mujer?— en la cabeza: "termine afectando nuestra pareja". ¿Pero es que Laura cree que su pareja aún no ha sido afectada? ¿Pero es que

Laura cree que ese modo de vida que mantienen desde hace veinte años puede seguir llamándose pareja? ¿Alcanza con compartir con otra persona gastos, casa, desayunos y cenas, algunas conversaciones, una cama donde poco pasa, el televisor, la educación de una hija, la cuenta del banco y la obra social para decir que eso que se administra de buen acuerdo y sin mayores inconvenientes es una pareja? "Que no termine afectando la pareja", dijo Laura, y Pablo sabe que eso no sucederá porque la pareja a la que ella se refiere ya no existe. Lo sabe desde hace rato, aunque no se haya atrevido a reconocérselo ni a él mismo porque hay cosas —que Papá Noel existe, que al Ratón Pérez le interesan tanto los dientes que se nos caen como para pagar por ellos, que la maestra nos quiere a todos por igual, que el amor dura toda la vida— en las que nos cuesta dejar de creer aunque la evidencia —mamá escondiendo los regalos junto al árbol— sea de una contundencia irrefutable.

Mientras Laura duerme, esa misma noche Pablo va al cuarto y haciendo el menor ruido posible arma una valija con las cosas imprescindibles. A la mañana siguiente, un poco antes de que su hija se levante para ir al colegio, entra a su habitación y habla con ella. Le explica que va a buscar un lugar donde vivir porque él y su madre decidieron separarse, dando la versión más ajustada a la que supone que aconsejaría la psicología moderna según el cuidado adecuado de los hijos. Pero Francisca no termina de convencerse.

—¿Es por lo del otro día? —le pregunta—, ¿por lo que pasó con Ana?

Él la tranquiliza, le asegura que no, que la decisión que tomaron nada tiene que ver con ella, que es algo que su madre y él deberían haber decidido hace mucho tiempo. Y Pablo es firme, contundente, no quiere dejar lugar a dudas que le permitan a su hija hacerse cargo de una culpa que no le corresponde. Cree que con eso terminará la conversación con Francisca, pero ella pregunta:

—¿Por qué?

—Porque estar casados es algo que dejó de hacernos felices.

—No, yo no te pregunto por qué se separan, te pregunto por qué pasa eso, por qué un día ya no te querés más, por qué dejás de ser feliz con esa persona. ¿A mí también me va a pasar?

Pablo quisiera contestarle que no, que a ella no le va a pasar, que se va a enamorar y que ese sentimiento va a durar siempre. Francisca viviendo toda la vida que tiene por delante con la misma persona, lo piensa e inmediatamente se asusta, ¿se arrepiente?, y se pregunta si de verdad eso será un valor —la vida entera con la misma persona— o apenas la cualidad de la resignación. Porque la vida es larga, cada vez más larga, y el amor demasiado difícil de reconocer metido en medio de tanto fuego de artificio y cenizas que no terminan de apagarse.

—No sé, linda. Pero vas a ser feliz, estoy seguro de que estés con quien estés vas a saber ser feliz.

Entonces Francisca ya no pregunta más. Él está por irse, pero antes de hacerlo se corrige sobre un punto anterior, le dice que en algo sí tuvo que ver ella en la decisión que tomaron —al menos en la de él—, porque ella le mostró que se puede hacer lo que uno quiere sin que se caigan todos los planetas.

—Y si se caen, habrá que ir a preguntarle a Hawking qué pasó, pero seguro nada que tenga que ver con nosotros.

Francisca se ríe:

—¿Sabés algo de Stephen Hawking?

—Nada —dice él y se ríen otra vez los dos.

Enseguida ella se pone seria.

—¿Qué pasa? —le pregunta él.

—Prometeme que en cuanto tengas un lugar donde vivir me vas a llevar con vos.

Pablo no contesta, no puede, se le hace un nudo en la garganta. Pero asiente, varias veces, dice que sí moviendo la cabeza, y cuando se recupera, cuando está seguro de que si habla ya no se le estrangulará la voz, dice:

—Te lo prometo.

Y no miente.

Se acerca, la besa en la frente, y dice:

—Mejor me voy así te vestís, no quiero que por mí llegues tarde al colegio.

Pablo sale del cuarto y espera en la cocina. A pesar de que a esa hora de la mañana él ya suele estar viajando bajo tierra en subte, hoy todavía no se va porque quiere esperar que Laura —que anoche se empastilló más de la cuenta— se despierte.

—¿Entonces es cierto? —dice ella poco después mirando la valija, y se le llenan los ojos de lágrimas.

—Sí.

—¿Se puede saber por qué?

—Porque no encuentro un motivo para que sigamos viviendo juntos.

—¿Estar casados no te alcanza?

—No.

—Y vos te creés muy especial por eso. Decime, ¿cuántos matrimonios conocés que tengan motivos para seguir viviendo juntos más allá del hecho de estar casados? Pablo, ésa es una idea romántica y estúpida del matrimonio.

—Estúpido fui siempre, romántico a lo mejor empiezo a ser ahora.

—A esta edad no te va a lucir.

Pablo prefiere callar. No tiene mucho más para decir, se repetiría, iría y vendría por lo que ya habló con Laura la noche anterior. Además, puede ser que en este punto ella tenga razón, que ser romántico a su edad ya no le luzca. ¿Será Laura exactamente eso que él ve hoy? ¿Será Laura lo que él pudo ver en ella a lo largo de estos once mil setenta días juntos? ¿O habrá otra Laura, una que Pablo no fue capaz de descubrir? ¿Podrá ella lucir otros aspectos de su personalidad, podrá ser otro tipo de mujer cuando esté junto a otro hombre, o cuando esté sola? Pablo sospecha que la cotidianeidad y los años trascurridos le deben haber tendido una trampa, que Laura no es sólo eso que él ve; pero la trampa es fatal e inevitable.

—¿Hay otra mujer? ¿Tenés otra mujer, Pablo? —pregunta ella y por primera vez se le quiebra la voz.

—No, Laura, no tengo otra mujer. No tengo nada, esta valija, y ese muerto que te conté que enterré bajo la losa.

—Ah, el famoso muerto. Vos creíste que me ibas a embaucar, ¿no? Me subestimaste. Ese muerto no existe. Me dijiste eso porque pensaste que con semejante cuento yo te iba a dejar a vos. Pero ya ves, no funcionó, yo no te dejé. Yo soy de otra madera. Yo en las buenas y en las malas. Con muerto y sin muerto. Si querés separarte, te vas a tener que ir vos.

—Eso hago —dice Pablo, agarra su valija y sale. En el palier lo alcanza Francisca. Le da un CD.

—Es el de Leonard Cohen, todavía no te lo grabé pero llevate el mío que yo después consigo otro.

—Gracias.

—Acordate de lo que me prometiste.

—Me acuerdo y así va a ser. Te llamo en cuanto sepa dónde voy a dormir.

Ella se acerca y lo abraza.

—Te quiero —le dice Francisca al oído.

—Te quiero —le dice él.

Francisca entra otra vez al departamento tratando de que no se le note que ahora es ella la que está a punto de llorar. ¿Se parecen en eso también él y su hija?, ¿en ocultar el llanto? Pablo entra en el ascensor, aprieta el cero y siente en el estómago cómo empieza a descender agarrado a su valija.

Mientras ve pasar un piso detrás del otro, se pregunta cuándo fue la última vez que alguien le dijo "te quiero", o que él se lo dijo a alguien. Pero no tiene respuesta. Para cuando llega a la planta baja aún no puede acordarse cuándo fue esa última vez.

20

Llega a la oficina un poco más tarde que de costumbre cargando su valija. La guarda en el depósito, junto a algunos rollos de alfombras que sobraron de la reforma del departamento de Borla y que la mujer se quería sacar de encima, y a los muebles que usaron en el último *show room*. De regreso patea un sobre que tiraron por debajo de la puerta. El sobre dice: "De Leonor", "Para: Pablo Simó". Se pregunta si la chica habrá pasado recién, cuando él estaba en el depósito, y prefirió no detenerse a saludarlo, o si el sobre ya estaría allí cuando él entró hace unos minutos y simplemente no lo vio. Lo abre, dentro está el papel que él le había pedido a Leonor —una descripción detallada de la evolución de la grieta día a día— y, para su sorpresa, varias fotos del sábado que pasaron juntos: él tratando de quitarle la cámara delante del edificio *liberty*, él sacando la lengua junto a la entrada de la tintorería; y otras tres fotos más que la chica le sacó sin que Pablo se diera cuenta: una cruzando Rivadavia, otra cuando está parando un taxi, y la tercera junto al grafiti que denuncia la sangre terca. Una hoja rosa, pequeña, enganchada con un clip a una de las fotos dice: "Gracias por todo. Leonor". Pablo se la queda mirando; aunque no lo dice el texto le suena a despedida. Pone el papel escrito por Jara en un sobre que etiqueta "Papeles de Nelson Jara" y lo guarda en el último cajón de su escritorio —un lugar donde puede ser encontrado sin demasiada dificultad cuando él ya no trabaje allí—, y luego agrega las fotos con el papelito rosa a la carpeta de los bocetos del edificio que algún día construirá.

Busca una hoja en blanco y escribe:

¿Qué pasaría si una tarde de éstas voy a visitarlos? ¿Qué pasaría si una tarde de éstas se enteran de que estoy vivo? Que hubo un hecho fundamental que ustedes ignoraron e ignoran, y es que cuando me tiraron dentro de esa zapata yo no había muerto, y que el azar, la distracción o el error humano hicieron que saliera antes de que volcaran allí su maldito hormigón. ¿Qué pasaría? Bueno, ya lo sabremos, porque una de estas tardes allí estaré con ustedes, para llevarles en persona mis más cordiales y sinceros saludos, saludos que guardo dentro mío desde hace tres años.

Nelson Jara

Pablo abre el cajón de su escritorio, mira dentro del sobre el papel que le mandó Leonor con la letra de Jara, y comprueba que la "y" no le salió tan mal como pensaba. Busca otro sobre y, con la misma letra, escribe delante: "Arquitecto Borla, Arquitecta Asociada Marta Horvat, Arquitecto no asociado Pablo Simó". Mete dentro la nota que acaba de escribir, pasa la lengua por la goma de la solapa y cierra el sobre. Luego se lo mete en el bolsillo, recién esta tarde tendrá tiempo de pasar por el correo y despacharla.

Cuando llega Borla, Simó le pide una reunión; el arquitecto se sorprende por la formalidad, pero por supuesto se la da.

—Vení a mi oficina en cinco minutos. ¿De paso te traés dos cafés?

Pablo entra en la oficina de Borla diez minutos más tarde llevando un café.

—¿Vos no tomás? —le pregunta su jefe mientras le pone azúcar y revuelve el suyo.

Y él le dice que no, que sólo toma café expreso, cargado, y más bien corto. A Borla no le interesa nada el tipo de café que le gusta a Pablo y, aunque se le nota, lo aclara:

—¿De qué me querías hablar, Pablo? Supongo que no será de café, ¿no?

—No, no, Mario. Te quería avisar que voy a dejar de trabajar en el estudio.

—¿Cómo?

—Eso, que ya no voy a trabajar con vos.

—¿Y por qué?

—Cambio de vida, quiero hacer algunas cosas para las que todavía no tuve tiempo.

—¿Cómo qué? ¿Cómo cruzar la cordillera a pie o escalar el Lanín? —Pablo no contesta y Borla sigue—: Tengo un amigo que a los cuarenta dejó todo para escalar el Lanín, ¿sabés?, y a los cuarenta y uno estaba otra vez trabajando en el mismo estudio de abogados, pero con un sueldo levemente inferior.

—No, no voy a escalar el Lanín. Voy a levantar una torre.

—¿En serio?

—Sí, una que tengo en la cabeza desde hace tiempo.

—¿Y por qué no me traés el proyecto? Si vale la pena lo hacemos.

—No creo que a vos te parezca que valga la pena.

—Bueno, si estás tan poco convencido de lo que vas a hacer...

—De lo que voy a hacer estoy convencido, pero no es un proyecto que le pueda interesar a cualquiera.

—¿Pensás poner la plata vos?

—¿Por qué nunca me asociaste?

—¿En un edificio?

—No, en este estudio.

—Porque... no sé, porque no hizo falta, porque nunca lo pediste. ¿Querés que te asocie? Si es eso... no sé, digo, con un porcentaje simbólico.

—No, ya no, ahora me quiero ir.

—¿Y cuándo te irías?

—No sé... en unos días.

—No me podés dejar en banda de un día para otro.

—Es que necesito empezar a trabajar enseguida.

—¿Ya tenés otro laburo?

—Algo por mi cuenta. Con lo que saque de ahí voy a ir juntando la guita para empezar con la torre que quiero levantar.

—Ah, entonces debe ser algo bueno lo que tenés. ¿Dentro de la profesión o un emprendimiento en otro tipo de negocio?

—Dentro de la profesión. O mejor dicho, cerca de la profesión.

—Cerca de la profesión... ¿Ves?, ésa sí que es una buena veta. La arquitectura en sí misma, como nos enseñaron en la facultad, ya no es negocio, pero hay muchas cosas para hacer "cerca" de la arquitectura hoy por hoy. Después contame de qué se trata, a lo mejor ahí sí me interesa meterme.

—Bueno, cuando lo tenga bien armado te cuento.

—Dame unos días, hasta que encuentre reemplazo. ¿Cuento con eso?

—Contá con unos días, sí, pero sólo unos días.

La conversación está terminada, sin embargo Pablo aún no se va. Siente que falta algo, que una charla de despedida después de tantos años debería concluir con un abrazo, un apretón de manos diferente al que uno daría cualquier día, o con una piña. ¿Debería él tomar la iniciativa, caminar los pasos que los separan y abrazar a Borla o pegarle? A su jefe parece inquietarlo que Pablo siga ahí parado sin decir nada.

—Bueno, entonces… quedamos así —dice.

—Quedamos así —contesta finalmente Pablo y sale.

Al mediodía va a la inmobiliaria y cierra el alquiler de la calle Tronador, pero a pesar de su insistencia le dicen que es imposible que tome posesión del departamento hasta el día siguiente. Él no contaba con eso, y recién entonces se da cuenta de que tendrá que encontrar un lugar donde pasar la noche. Vuelve caminando de la inmobiliaria al estudio, en un locutorio despacha el sobre que tiene en su bolsillo —con estampillado simple para que llegue cuando él ya no esté trabajando allí— y siente que todo va, por fin, encaminándose hacia donde debe ir.

Un poco después, en la esquina de Céspedes y Álvarez Thomas, un hombre que cruza la calle arrastrando un cochecito de bebé lo saluda. Pablo siente una sensación extraña, sabe que es alguien que conoce pero no termina de darse cuenta de quién se trata. El hombre está excedido de peso, el pelo que le queda rodea una calvicie reciente pero innegable: pelo ralo, canoso, largo, que lleva atado con una colita. Tiene puesta ropa de oficina —camisa blanca, corbata y pantalón gris sin saco— pero ropa arrugada y de mala calidad. El hombre es mayor para tener un bebé tan pequeño pero joven para ser el abuelo. El sudor le pinta algunas gotas a su camisa a la altura del pecho. Y ese hombre, ahora, viene decididamente hacia él.

—Pablo Simó, ¿no es cierto, hermano? —dice, y antes de que él conteste se acerca y lo abraza.

Con sólo haberle escuchado decir "hermano", Pablo ya sabe que ese que de pronto tiene delante es el Tano Barletta.

—Estás igual —le dice su amigo.

—Vos también —miente él, para quien Barletta sigue siendo el que se le aparece cada tanto y que quedó congelado en los veinticuatro o veinticinco años —. ¿Ese bebé es tuyo?

—Sí, cayó de paracaidista. Tengo dos más, están ahí con mi mujer— dice y señala hacia un bar.

—Así que finalmente te casaste…

—Y sí, ¿qué otra queda, no? A la larga uno se cansa de estar solo.

—¿Y dónde estás trabajando? —le pregunta Pablo.

—En una fábrica de muebles de oficina. Buen laburo, buen nivel de muebles, clientes importantes, grandes.

—¿Diseñás muebles?

—No, yo estoy más en la parte de marketing y esas cosas, ¿me entendés?

—Sí, creo que sí.

—Vendo, concretamente; visito los clientes, veo las necesidades y vendo.

—¿Y estás contento?

—Sí, sí... bueno, contento porque tengo laburo, la familia está bien, qué más se puede pedir...

—Sí, no se puede pedir mucho más, ¿no?

Los dos se quedan en silencio un rato, se miran. El culo y la memoria, piensa Pablo, aún hoy veinte años después, y se pregunta qué estará pensando de ellos —de él y de sí mismo— el Tano Barletta en este momento.

Ahí viene mi mujer, esperá que te presento.

Barletta le explica a la mujer quién es Pablo, ella lo saluda y obliga a sus hijos a hacer lo mismo. Por la reacción, Pablo se da cuenta de que el Tano quizás nunca le habló de él, y si lo hizo, ella no lo recuerda. Los dos chicos mayores se pegan y Barletta da un golpe seco pero suave, como una cachetada rápida, en la cabeza del que tiene más cerca.

—Che, no me hagan quedar mal delante de mi amigo —dice.

Luego los dos intentan algunas frases más como para no cortar ahí el encuentro.

—Te dejo mis datos —le dice Barletta y le da una tarjeta con membrete de la casa de muebles para la que trabaja—. Llamame y nos encontramos para comer, ¿dale?, así recordamos viejos tiempos. La pasábamos bien juntos, nosotros, ¿no?

—Sí, la pasábamos bien —contesta Pablo.

Cuando Barletta, su mujer y sus hijos ya están cruzando Álvarez Thomas, el Tano se da vuelta y le grita:

—Saludos a Laura y a la nena.

—Gracias —dice él.

Por la tarde Pablo va a la obra a despedirse de Marta Horvat. Cruza el cerco de obra y se queda ahí, mirando desde lejos y tal vez por última vez cómo ella se maneja con los obreros. Es su reina, piensa, la reina de esos hombres que van y vienen con ladrillos, cables, fratacho, pico y pala. Pero a pesar de que los años se fueron instalando en ella con mucha más dignidad que en otras mujeres y que sigue siendo una de las más bellas que él nunca haya conocido, Marta Horvat ya no ejerce sobre Pablo Simó el hechizo que ejercía hasta hace un tiempo. ¿Por qué?, se pregunta. ¿Por qué puede mirarla ahora sin necesidad de imaginarla desnuda, por qué no siente más celos de los hombres que pasan junto a ella, por qué su cuerpo no se pone alerta ante la proximidad del cuerpo de Marta Horvat como lo hizo tantas veces? ¿El deseo que provoca una mujer también es un fuego de artificio que se apaga un día como se apaga el amor?

Pablo camina hacia ella y por primera vez no siente ese temor de que ella lo trate como a él no le gusta.

—¿Qué hacés acá? —le pregunta Marta.

—Vengo a saludarte. Me voy del estudio —dice Pablo y juraría, ¿puede ser?, que a ella la noticia la toma por sorpresa y no le gusta.

—No, no te puedo creer... no estás hablando en serio.

—Sí, Marta, estoy hablando en serio.

—¿Pero por qué, Pablo? ¿Por qué te vas?

—Voy a levantar esa torre que me viste dibujar hasta el cansancio en el estudio. Y no me digas otra vez que no me da el FOT, te pido por favor —le dice, y Marta, para su asombro, le sonríe.

—Jurame que yo te dije alguna vez que no te daba el FOT.

—Te lo juro.

—Soy tremenda.

—Sí, sos tremenda.

Pablo tiene la sensación de que a Marta Horvat se le llenan los ojos de lágrimas y debe ser así porque la mujer se baja los anteojos oscuros que lleva sobre la cabeza aunque el sol, a esa hora de la tarde, ya no puede molestarla.

—¿Cuántos años tenés, Pablo? —dice, y a él lo sorprende la pregunta.

—Cuarenta y cinco.

—Tres menos que yo —dice Marta, se queda pensando un rato y luego sigue—. ¿Te parece que todavía estamos a tiempo de dar una vuelta de timón y navegar hacia otro lado?

—Yo choqué contra un iceberg, no me queda otra que intentar una vuelta de timón.

—Tuviste suerte, a veces es necesario chocar contra un iceberg —le dice ella, y él se pregunta si la carta que escribió con la letra de Jara no terminará siendo el bloque de hielo que Marta Horvat necesita.

Y luego, superando cualquier expectativa que pudiera haberse hecho Pablo en los mejores tiempos, Marta se acerca, lo abraza, se queda un rato así apretada contra él, luego le da un beso rápido en la mejilla y, como si tanta demostración de afecto la hubiese avergonzado, se despide apurada:

—Bueno, te dejo, tengo mucho que hacer. Suerte, Pablo, si necesitás algo sabés dónde estoy.

La mujer se aleja en cuanto termina de hablar, por eso no escucha cuando Pablo Simó le contesta:

—Sé dónde estás, sí.

Pablo vuelve al estudio cuando ya no queda nadie, no sólo en su oficina sino en casi ninguna otra del edificio. Antes de subir compra unas porciones de pizza y una cerveza chica. Aparta lo poco que queda sobre su escritorio y lo usa como mesa para comer. Se acuerda de aquella última cena de Nelson Jara, en ese mismo lugar, pero cuando el edificio era apenas una promesa dada por un pozo abierto en la tierra. Se acuerda de los restos de pizza que él mismo se ocupó de limpiar. Y de los zapatos de Jara, y del peso de su cuerpo, y de aquel martillo, pero hoy se da cuenta de que los recuerdos no le pesan tanto, como si, por fin, hubiera podido reconciliarse con ellos. Luego llama a Francisca y le dice que esa noche va a dormir en un hotel pero que mañana ya va a tener un departamento, y que a primera hora le va a pasar todos los datos para que ella pueda ubicarlo. Su hija se escucha serena y eso lo deja tranquilo. Ella le pregunta si quiere que le pase con su madre, él dice que no, que por ese día prefiere no volver a hablar con Laura, pero que mañana también la llama a ella. Cuando cuelga, da una vuelta por el lugar, mira los rincones que pronto ya no volverá a ver. Piensa en el momento en que Borla reciba el sobre que le envió Nelson Jara. Y lo piensa así exactamente, el sobre que le envió Nelson Jara, como si ese hombre de verdad existiera, como si ese hombre de verdad estuviera a punto de ir a ver a aquellos que lo creyeron muerto y lo enterraron. Sabe que lo mejor será que Borla y Marta lean la carta cuando él ya no esté allí. Eso le evitará tener que mentir frente a ellos, hacer como si a él también le preocupara el sobre que acaban de recibir, como si a él también lo espantara la posibilidad de que Jara esté vivo. Le evitaría decir, ¿pero están seguros de que es la letra de Jara?, y abrir el último cajón de su escritorio, y sacar para ellos la hoja con la que podrían comparar la letra de Jara para salir de dudas. Va al depósito a buscar en su valija algo de ropa, con la que arma una cama de campaña entre su escritorio y el de Marta Horvat. Se acuesta, cruza los brazos debajo de la cabeza y se da cuenta de que es la primera vez en veinte años que mira el techo del lugar donde trabaja. Recorre cada esquina, cada boca de luz, cada imperfección del yeso o la pintura.

Por fin cierra los ojos e intenta dormir. Sabe que esa noche podría soñar con Marta Horvat, o con Leonor Corell, o con Laura o con Francisca. Pero si pudiera elegir preferiría no hacerlo, preferiría apenas cerrar los ojos y dormir, sin que ninguna de esas mujeres que por distintos motivos y con distintas intensidades se han metido tantas veces en sus sueños, lo haga. Porque esta noche está cansado de verdad, muy cansado. Esta noche no quiere nada de ellas: no quiere amor, ni cariño, ni deseo, ni te quiero, ni cuerpos apretados buscándose uno al otro.

Pablo Simó, esta noche, sólo quiere cerrar los ojos, y que lo dejen dormir.

21

A primera hora de la mañana siguiente Pablo Simó se presenta en la inmobiliaria cargando su valija y la carpeta con bocetos de la torre de once pisos que mira al Norte, en busca de las llaves del departamento que alquiló. Y un rato después ya está abriendo la puerta del lugar donde va a vivir los próximos meses. Lleva la valija al cuarto; luego vuelve al living, abre la ventana, respira y deja que el sol le pegue en la cara. Ubica rápidamente los cuatros puntos cardinales; concluye que cuando el Estudio Garrido y Asociados levante esos dúplex que el cartel promete, el sol ya no entrará por esa ventana como lo hace hoy.

En el terreno vecino no hay demasiado movimiento, pero sí suficiente acopio de materiales y eso lo tranquiliza: nadie invierte en ladrillos para después no avanzar con la obra como es debido.

Vuelve al cuarto, abre la valija, se pone ropa cómoda: un short, una remera y zapatillas. Abre un cierre interior y saca de allí su estuche con herramientas. Vuelve al living. Elige de su carpeta de bocetos el último, aquel donde dibujó la grieta de Jara. Lo apoya contra la pared lateral, como si fuera un cuadro que la mudanza aún no le dejó colgar pero que en cuanto tenga tiempo lo hará. Camina hacia la otra pared, la medianera, la que es vecina del terreno donde el estudio Arquitecto Garrido y Asociados pronto cavará un pozo y luego cimentará las bases del edifico de dúplex que planea construir. Abre el estuche de las herramientas, saca un martillo y un cincel, acaricia la pared, detecta dos o tres imperfecciones en la pintura, y luego, como si fuera algo que siempre hizo, empieza a esculpir una grieta. Sin apuro, pica apenas el principio de ese surco que sabe crecerá poco a poco, a fuerza de los golpes que él mismo dé. Día a día irá sacando fotos mientras la grieta avanza, anotará los centímetros que crece, llevará cuadernos donde registrará las reuniones con enemigos y posibles aliados, medirá el ancho y la profundidad de la fisura, y esperará.

Golpea y pica la pared, golpea y pica, una vez más golpea y pica.

El polvo lo hace toser pero no se detiene, se detendrá recién cuando haya picado los centímetros que la grieta crecerá ese primer día, según su propio plan.

Después gira la cabeza sobre su hombro y lo busca. Sabe que tiene que estar allí, y allí está, parado detrás de él, observando lo que hace.

Pablo Simó lo mira esperando una opinión y Nelson Jara, sin decir una palabra, con un claro movimiento de cabeza y una sonrisa apenas insinuada, aprueba.

Mi agradecimiento para los que me acompañaron en la escritura de esta novela y en los avatares de la vida mientras la escribía:

A Juan Martini.

A Guillermo Saccomanno.

A los que siempre me leen primero: Cristian Domingo, Monina Quel, Marcelo Moncarz, Élida Fernández, Cynthia Edul, Andrea Jáuregui.

A Nicolle Witt y su equipo.

A Julia Saltzmann.

A Néstor Otero.

Alfaguara es un sello editorial del Grupo Santillana

www.alfaguara.com

Argentina
Av. Leandro N. Alem, 720
C 1001 AAP Buenos Aires
Tel. (54 114) 119 50 00
Fax (54 114) 912 74 40

Bolivia
Avda. Arce, 2333
La Paz
Tel. (591 2) 44 11 22
Fax (591 2) 44 22 08

Chile
Dr. Aníbal Ariztía, 1444
Providencia
Santiago de Chile
Tel. (56 2) 384 30 00
Fax (56 2) 384 30 60

Colombia
Calle 80, 10–23
Bogotá
Tel. (57 1) 635 12 00
Fax (57 1) 236 93 82

Costa Rica
La Uruca
Del Edificio de Aviación Civil 200 m al
Oeste
San José de Costa Rica
Tel. (506) 220 42 42 y 220 47 70
Fax (506) 220 13 20

Ecuador
Avda. Eloy Alfaro, 33–347
Quito
Tel. (593 2) 244 66 56 y 244 21 54
Fax (593 2) 244 87 91

España
Torrelaguna, 60
28043 Madrid
Tel. (34 91) 744 90 60
Fax (34 91) 744 92 24

Estados Unidos
2105 N.W. 86th Avenue
Doral, F.L. 33122
Tel. (1 305) 591 95 22 y 591 22 32
Fax (1 305) 591 74 73

Guatemala
7ª Avda. 11-11
Zona 9
Guatemala C.A.
Tel. (502) 24 29 43 00
Fax (502) 24 29 43 43

México
Avda. Universidad, 767
Colonia del Valle
03100 México D.F.
Tel. (52 5) 554 20 75 30
Fax (52 5) 556 01 10 67

Paraguay
Avda. Venezuela, 276,
entre Mariscal López y España
Asunción
Tel./fax (595 21) 213 294 y 214 983

Perú
Avda. San Felipe, 731
Jesús María
Lima
Tel. (51 1) 218 10 14
Fax. (51 1) 463 39 86

Puerto Rico
Avda. Roosevelt, 1506
Guaynabo 00968
Puerto Rico
Tel. (1 787) 781 98 00
Fax (1 787) 782 61 49

República Dominicana
Juan Sánchez Ramírez, 9
Gazcue
Santo Domingo R.D.
Tel. (1809) 682 13 82 y 221 08 70
Fax (1809) 689 10 22

Uruguay
Constitución, 1889
11800 Montevideo
Tel. (598 2) 402 73 42 y 402 72 71
Fax (598 2) 401 51 86

Venezuela
Avda. Rómulo Gallegos
Edificio Zulia, 1º – Sector Monte Cristo
Boleita Norte
Caracas
Tel. (58 212) 235 30 33
Fax (58 212) 239 79 52

Este libro terminó de imprimirse en diciembre de 2010 en Editorial Penagos, S.A. de C.V., Lago Wetter num. 152, Col. Pensil, C.P.11490, México, D.F.